# hiwmor
# Y COFI

CYFRES TI'N JOCAN

# hiwmor
# Y COFI

**Dewi Rhys**

yLolfa

**CCBC**
**PO 10120492**

Argraffiad cyntaf: 2009

Dymuna'r cyhoeddwyr gydnabod cymorth ariannol
Cyngor Llyfrau Cymru.

Diolch i Wasg Carreg Gwalch am ganiatâd
i gynnwys cerdd o *Stwff y Stomp 2*

Cartwnau: Elwyn Ioan

Rhif Llyfr Rhyngwladol:
ISBN: 9781847711885

*y***Lolfa**

Cyhoeddwyd, argraffwyd a rhwymwyd yng Nghymru
gan Y Lolfa Cyf., Talybont, Ceredigion SY24 5HE
*e-bost* ylolfa@ylolfa.com
*gwefan* www.ylolfa.com
*ffôn* (01970) 832 304
*ffacs* 832 782

# RHAGAIR

I bobl o'r tu allan i Gaernarfon, mae'n siŵr fod y rhan fwya yn credu bod hiwmor a'r Cofi yn mynd law yn llaw, ac o edrych ar y sefyllfa yn wrthrychol, mi fyddwn i'n cytuno â hynny.

Ond, fel un sydd wedi byw yn y dre ar hyd ei oes, mae'n ddrwg gen i eich siomi ond mi allaf eich sicrhau nad ydi'r Cofi ei hun yn ei gweld hi fel'na.

Datganiad syfrdanol, efallai? Wel, i fanylu, mi af â chi ar siwrna ddifyr o dan groen Cofis Dre.

Bydd cynnwys y gyfrol hon yn rhoi pwyslais ar bersonoliaeth y Cofi yn ogystal â'i agwedd tuag at weddill y byd, ymysg pob dim; achos bob dydd y bydd Cofi yn deffro mae'n credu bod y byd yn ei erbyn. Ymateb rhai yw ceisio concro popeth, a'r gweddill yn gadael pethau i fod.

'Unigryw' yw un o'r geiriau a ddefnyddir i ddisgrifio'r Cofi oherwydd bod Cofis yn credu eu bod yn wahanol i bawb arall.

Yn gyffredinol, dydi'r Cofi ddim yn gallu chwerthin arno fo ei hun. Mae'n dueddol o gymryd ei hun ormod o ddifri, er dydi hynny ddim yn wir pan fydd yn trin pobl a phethau eraill.

Tydi'r Cofi ddim yn ymwybodol ei fod yn dweud

pethau doniol. Felly, pan fydd eraill yn chwerthin, bydd y Cofi mewn penbleth ac weithiau'n digio, sy'n gallu arwain at gamddealltwriaeth.

Wrth gyfarfod â Chofi, mae'n gallu ymddangos yn ddifater, yn oriog efallai, neu'n waeth fyth, yn ddig'wilydd. Mi wnaiff syllu, gwgu, troi cefn, i gyd ar unwaith. Ewch i gwis tafarn yn y dre 'cw a'r cwestiwn cynta fydd, "Ar be ti'n sbio?".

Mi gymerith gryn amser i ddod i adnabod Cofi ond ar ôl croesi'r bont o ysgwyd llaw mi welwch wên ar yr wyneb. Ai swildod neu ddiffyg hyder yw hyn? 'Run o'r ddau. Angen llonydd y mae'r Cofis, gan eu bod wedi cael eu mwydro gan wehilion ers Oes y Rhufeiniaid. Mae cenhedloedd o bob math wedi bod drwy'r dre ond ma'r Cofis wedi llwyddo i ddal eu tir.

Ar lefel bersonol cefais bleser yn ymchwilio ar gyfer y gyfrol yma, gyda'r bwriad o adrodd hanesion gwir am y bobl a'r digwyddiadau.

Sylwais yn eitha sydyn fod criw o Gofis wastad eisiau cael y gorau ar ei gilydd a hefyd eu bod yn benderfynol o gael y gair ola, a hynny i'r fath raddau nes bod mor hy â gwella dywediadau cyffredin sydd wedi goroesi a chymryd eu lle yn ein bywydau bob dydd.

Dau gefnogwr pêl-droed yn gwylio tîm Caernarfon ar yr Oval:

Co 1: 'Sa well gen i wylio paent yn sychu.
(Cymhariaeth safonol)

Co 2: 'Sa well gen i wylio *fish finger* yn dadmar!
(Cymhariaeth well a gwreiddiol)

Rhywbeth nodweddiadol am y Cofi yw trin a thrafod enwau, boed yn enwau pobl, adeiladau, caeau, unrhyw beth dan haul, hyd yn oed allt hir ar y ffordd i'r dre – 'Angina Hill'!

Bu Siop Ara Deg yno ers degawdau am resymau amlwg ond yn ystod y misoedd diwetha mae yna ddwy siop arall wedi cael eu bedyddio yn y ffurf symla bosib: Siop Tri (tair) Step a Siop Dyn Lladd ei Hun.

Dyna ragflas o'r modd y mae'r Cofis yn meddwl ac yn creu, felly croeso i fyd unigryw a hwyliog pobl Caernarfon.

Tara dy stagars ar hyn, con'!

# PLENTYNDOD

Ma pawb sy'n sgwennu amdanyn nhw'u hunain yn sôn pa mor hapus oedd eu dyddiau cynnar, eu magwraeth gariadus, yr atgofion melys, ffrindiau caredig, wel, nid felly mo plentyndod yn dre 'cw!

Cadw eich pen uwch ben y dŵr oedd yr unig nod, goroesi eich cyfoedion, bod gam ar y blaen a gwisgo croen eliffant. Roedd dangos unrhyw fath o wendid yn angeuol ac anodd fyddai codi wedyn, ond, os llwyddo codi, peltan arall oedd yn eich disgwyl! Hiwmor creulon, didrugaredd, dim tynnu coes diniwed, ond cyfeiriadau personol tuag at y teulu, golwg, personoliaeth, arferion, h.y. bodolaeth! Yr ewyllys i fyw!

Ers stalwm bu 'wyrcws' yng Nghaernarfon o'r enw Bodfan. Mae'r adeilad ger Ysbyty Eryri ac yn cael ei ddefnyddio fel swyddfeydd y dyddiau hyn, ond pan oeddem yn blant, roedd y lle'n wag, oeraidd ac yn codi ofn arnom, yn enwedig o glywed hanesion fod heintiau'n dal i fodoli yn y lle. Felly, os oedd un ohonom yn sâl neu'n fudr, neu annwyd yn rhedeg o'r trwyn, doedd neb yn cyffwrdd â chi ac yn cyhoeddi ar fuarth yr ysgol mai Bodfan oedd eich lle! Ond o leia roeddech yn gwella o unrhyw anhwylder a chael eich derbyn yn ôl i'r criw.

Y sarhad mwya oedd adeg profion neu arholiadau. Unrhyw fethiant a'r alwad fyddai, "Ti'n mynd i Denbigh!" a oedd yn cyfeirio at Ysbyty Meddwl Dinbych. Byddai hyn yn torri calon ambell ddisgybl yn yr ysgol gynradd. Os nad oeddech yn cymeryd rhan mewn chwaraeon fe'ch galwyd yn 'sbas' ac os oeddech yn gwneud rhywbeth dwl caech 'ych bedyddio'n 'mong'. Toeddan ni'n griw bach difyr yn tyfu fyny yn y chwedegau!

★  ★  ★

Rwy'n cofio clywed fy jôc gynta gan Miss Griffiths Standard 2:

"Be sy'n goch ac yn eistedd yn y gongl?"

"Bws drwg," medda fi'n ddiniwed, wedi ei chlywed hi gan fy rhieni annwyl sawl gwaith ar yr aelwyd adref.

"Na," medda hi'n filain. "Dilys Jones, Cae Mur, am daflu paent ar y llawr. Cerwch i'r gongl tan ddiwedd pnawn a pheidiwch â meiddio edrych yn ôl ar gweddill y plant."

Tydw i erioed wedi heclo comedïwr ers hynny!

★  ★  ★

Yn Standard 2 cawsom, fel dosbarth, brawf clyw. Roedd pawb yn ei dro yn cael morthwyl pren a chlustffonau ar ei glustiau. Pan oedd sŵn yn cyrraedd ein clustiau rhaid oedd taro blocyn pren gyda'r morthwyl: un gnoc am sŵn ysgafn, dwy gnoc am sŵn uwch, hyd at bum cnoc am sŵn gwichlyd dros ben.

Wythnos yn ddiweddarach, cyrhaeddodd y canlyniadau. Ffoniodd Miss G. fy mam a mam fy ffrind a chyhoeddi ein bod yn fyddar.

Y noson honno bu'r ddwy fam ar y ffôn yn taeru bod yr hogia'n clywed yn berffaith.

Ar ôl cryn holi am y prawf darganfuwyd, ar ôl cnocio'r wybodaeth ohonom, mai 'rhyw ddyn efo siwt a tei-bo' oedd wedi cymeryd y prawf a'i fod o'n 'siarad Saesneg posh iawn'.

Yn syml, doedd Ieu a minna heb ddeall gair gan y boi, a oedd, mae'n bur debyg, wedi cael ei ddiarddel rhag bod yn feddyg teulu yn rhywle fel Caergrawnt ond yn ddigon ffodus i gael swydd yn teithio ysgolion Cymru, gan fwydro disgyblion chwech oed efo tatan boeth yn ei geg. Yr un teip sydd ar bwyllgor pêl-droed Cynghrair y Sul yn Sir Fôn ac yn ceisio gwagio pocedi'r Cofis gyda'u tactics dan-din; ond stori arall ydi honno, sy'n gwneud i *C'mon Midffîld* edrych fel *Cefn Gwlad*!

Erbyn heddiw mae fy nghlyw i wedi dirywio, ond tydi Ieu rioed wedi gwrando ar ddim byd, beth bynnag!

★ ★ ★

Athro arall oedd Mr Williams Standard 5, a oedd yn gwthio rhesi o jôcs i lawr ein corn gyddfau bob pnawn Gwener; ac o'r cannoedd ohonyn nhw, dim ond un rwy'n ei chofio:

"Be sy'n wyn a methu dringo coeden?"

"Ffridj."

Ha ha! meddan ni'n gwrtais, gan ddysgu'r grefft o chwerthin ar jôcs y bòs yn gynnar iawn yn ein bywyd!

★ ★ ★

Athro: Ai plant da sy'n mynd i'r nefoedd?
Cofi Bach: Na!
Athro: Ai plant drwg sy'n mynd i'r nefoedd?
Cofi Bach: Na!
Athro: Pa fath o blant sy'n mynd i'r nefoedd, ta?
Cofi Bach: Plant sy 'di marw, 'de!

★ ★ ★

## Yncl Ed

Mae plant wrth eu bodd yn chwarae triciau ar ei gilydd ond y smaliwr mwya imi oedd fy ewythr, Yncl Ed. Cofi oedd yn gwthio'r ffiniau efo'i gellwair hwyliog er fe lwyddodd i roi dagrau yn llygaid un nai iddo!

Un direidus iawn oedd Yncl Ed, a oedd yn gyfrifol

am greu rycshons yn y capel, yr ysgol Sul a'r Band o' Hope. Hyd heddiw yn galeri Capel Ebeneser, ein capel Wesla, mae olion procar poeth wedi llosgi yn y derw! Mae'r digwyddiad nesa'n rhan o draddodiad llenyddiaeth Gymraeg, ond roedd f'ewythr yn ei ymarfer yn aml, sef symud bys cloc y capel rhyw chwarter awr ymlaen yn ystod pregeth neu gyfarfod o'r Band o' Hope.

Do, mi ddifethodd ddechrau un gwyliau i mi ac, yn anuniongyrchol, i fy rhieni hefyd.

Bore Sadwrn oedd hi, ac roedden ni'n barod i gychwyn am y Borth, Aberystwyth. Dyma Yncl Ed, brawd fy nhad yn dod i ddeud ffarwél, ac efallai rhoi ychydig o bres poced i'w nai? Hy, no way!

"Gwranda washi," meddai, tra oedd fy rhieni yn llwytho'r car, "ma'r môr 'di diflannu o'r Borth, ac ma rhyw gythra'l 'di dwyn y tywod i gyd." Roeddwn mewn sioc ac yn methu deud dim.

Ar ôl tua hanner awr o'r siwrne ro'n i yn fy nagrau, yn cwestiynu a sgrechian wrth fy rhieni am yr holl beth. Erbyn Dolgellau roeddwn 'di cael cefn llaw ar draws fy nghoesau a mwy o ddagrau. Do, mi gafodd Yncl Ed gerdyn post o'r gwyliau ond dim anrheg!

★ ★ ★

Yr hanes mwya beiddgar am Yncl Ed oedd ei amser yn y rhyfel. Ond hyd yn oed yma roedd cyfle i fod yn ddireidus. Yn ôl pob sôn, cyn diwedd y rhyfel, ac yntau yng ngwlad Belg, roedd o'n rhan o sgam gamblo, yn rhedeg casino tanddaearol, a phan ddaeth yr amser i godi pac a mynd yn ôl adref rhaid oedd gadael cannoedd o bunnoedd (medd Dad), miloedd o bunnoedd (medd yncl Ed!) ar ôl. Mae 'na rhyw foi bach yn ochra Ghent rŵan yn werth ei ffortiwn, dybiwn i!

★   ★   ★

Roedd plentyndod yn golygu gwisgo trowsus byr, neu drowsus bach, ac yna cyrraedd yr ysgol uwchradd yn gwisgo trowsus hir, neu drowsus mawr. Wrth gwrs, fe wnaeth *rhai* oedd yn croesi o'r cynradd i'r uwchradd ddim newid eu trowsus. Mi ellwch ddychmygu beth oedd adwaith eu cyd-Gofis! Ma'n nhw'n dal i gael therapi hyd heddiw!

# ADDYSG

Yn gyffredinol, tydi addysg a Cofi Dre ddim yn mynd law yn llaw, hynny yw, addysg ffurfiol mewn ysgol neu goleg. Chewch chi neb gwell, cofiwch, na Chofi sydd wedi dysgu ei grefft yn y byd mawr neu oddi ar y stryd.

A bod yn deg, mae nifer o Gofis wedi llwyddo i ddod i'r brig yn eu maes proffesiynol megis meddygaeth, adrannau yn y cyngor sir, cyfreithwyr (pych), cyfrifwyr, prifathrawon, actorion (ffyliaid yn yr ysgol), technegwyr teledu, adeiladwyr…

Ond beth sy'n arbennig am hyn, dwi'n 'ych clywed chi'n gofyn? Wel, mae'r rhan fwyaf sy'n byw yn y dre naill ai wedi bod i ffwrdd a dod yn ôl, neu heb fentro symud oddi yma o gwbl. Felly, yn ffodus neu'n anffodus, mae yna genhedlaeth arall o Gofis bach o gwmpas y dre!

★ ★ ★

Be dach chi'n galw Cofi efo lefel A?
Diawl celwyddog!

Be dach chi'n galw Cofi yn y brifysgol?
Glanhäwr!

* * *

Pan oeddwn yn yr ysgol uwchradd roedd pob gwers yr un fath, sef yr athro'n traethu a ninnau'r disgyblion yn sgwennu mewn llyfr, ar lechen, braich, papur tŷ bach Izal, er mwyn ei chwdu yn ôl ar bapur crand efo WJEC/CBAC arno. Yna disgwyl tri mis iddo gael ei farcio gan rhyw ddihiryn yn ochrau Caerdydd nad oedd erioed wedi tywyllu adeilad ysgol yn ei fywyd, ac yna, i wneud pethau'n waeth, cael mynd o flaen y prifathro yn ystod gwyliau'r haf i gael eich dwrdio am gael D yn lle A a dwyn anfri ar yr ysgol unwaith eto.

Do, mi wnes i fwynhau'r saithdegau yn Ysgol Syr Hugh Owen, Caernarfon!

* * *

Tre pêl-droed yw Caernarfon wedi bod erioed ond ers y saithdegau mae rygbi wedi tyfu ac erbyn hyn yn eistedd yn gyfforddus ochr yn ochr â phêl-droed. Mae'r plant yn gallu chwarae pêl-droed ar y Sadwrn a rygbi ar y Sul, ac erbyn cyrraedd eu harddegau maent yn barod i ddewis pa un fydd eu prif gamp.

Blaenwr gyda charfan y Gweilch yw Cai Griffiths, a oedd yn byw yn ardal Twthill o'r dre gyda'i nain a'i daid. Pêl-droediwr oedd ei daid ac yn falch iawn fod Cai yn cadw gôl i dîm Cae Glyn United.

Yn fuan iawn, dangosodd Cai fod ganddo dalent

ar y maes rygbi ac mi gafodd ei ddewis i chwarae i dimau Cymru. Ei lwyddiant mawr oedd bod yn rhan o dîm Camp Lawn dan 18. Yn y gêm ola, a chwaraewyd ym Mangor yn erbyn Ffrainc, dyfarnwyd Cai yn seren y gêm. Roedd o a'i ffrindiau ar ben eu digon, ynghyd â'i athro ymarfer corff, a oedd wedi cael cryn drafferth i berswadio'r taid i fynd i'r gêm dyngedfennol honno.

Athro: (Cnocio ar ddrws Taid)

Taid: Ia?

Athro: Meddwl o'n i os liciwch chi ddod efo ni i Fangor nos Fercher i weld Cai yn chwarae dros Gymru?

Taid: Dwn i'm. *Goalkeeper* da, w'chi.

Athro: Ydi, ond ma ganddo fo ddyfodol yn myd rygbi.

Taid: Dal yn *goalkeeper* da, w'chi. Ocê, mi ddo i, gan fod y Mrs isho mynd.

[Wythnos yn ddiweddarach. Yr athro yn ymweld â Taid unwaith yn rhagor.]

Athro: Wel? Wnaethoch chi fwynhau nos Fercher?

Taid: Dew, do, oedd o'n *change*, doedd?

Athro: Siŵr bod chi'n falch iawn ohono – capiau, tlws pencampwr, seren y gêm...

Taid: Ia, iawn, ond dach chi ddim yn dallt, mae o'n uffar o *goalie* da!

# Tripiau ysgol

Uchafbwynt pob Pasg oedd taith ysgol. Y dyddiau hyn mae sawl dewis ar gael, i fynd i bedwar ban byd, ond yn oes y cerrig ychydig o ddewis oedd:

1. Trip Sgio:

Ar gyfer y rhai efo digon o bres a'r rhai oedd yn mynnu siarad Saesneg yn hytrach na'r Gymraeg. Fel arfer, Aviemore oedd y lle ac mi roedd y Cofis crand o'r wlad wastad wedi cael eu dal yn lyshio neu'n boncio, ac roedd hŵ-hâ fawr gan y rhieni, ond lot o hwyl i ni wrth glywed yr hanesion.

2. Taith Gerdded:

Disgyblion dosbarth canol yn cael y cyfle i gerdded drwy goedwigoedd Luxembourg ar ôl bod yn ymarfer trwy gerdded 26 milltir drwy Fforest Gwydir ym Metws y Coed. Yr unig hanesion o'r teithiau hyn oedd swigod traed a rhywun wedi colli oriawr yn y môr yn ystod y croesi – wel, a bod yn fanwl gywir, wedi cael ei thaflu dros ochr y llong gan rhyw fwli efo llwy arian yn ei geg.

3. Taith Pêl-droed dan 15 oed.

Mae pob Cofi yn gallu chwarae pêl-droed. Ry'n ni i gyd yn cofio Wyn Davies a Tommy Walley ers stalwm, ac mae dau neu dri yn bwrw eu prentisiaeth gyda'r clybiau enwog ar hyn o bryd.

Mentraf ddweud bod rhestr i fynd ar y daith hon yn un hir. Roedd rhaid i bawb dalu'n fisol a chael mynd i rywle dieithr tu hwnt. Doedd rhai heb fod ymhellach na Bangor, ac mi alla i eich sicrhau bod yna Gofis heddiw sydd heb symud erioed o'u milltir sgwâr, a chredwch chi fi, does 'na ddim o'i le ar hynny.

★ ★ ★

Mi ddigwyddodd y daith nesa yma tra oeddwn i yn yr ysgol, felly mae gen i gof manwl o'r diwrnod olaf yn yr Almaen pan adawyd i bawb gael amser rhydd i siopa.

Cafwyd rhybudd i beidio â phrynu alcohol, dcunydd pornograffig nac arfau megis cyllyll ac ati. Ond, yfwyd yr alcohol a gwyliwyd y porn – wel, gwehilion o Gofis oedd yno, cofiwch. Cyn mynd i gysgu ar y noson ola mi benderfynodd y tri athro, yn eu doethineb, i archwilio bagiau pawb.

Darganfuwyd 36 o *flick knives* ac fe'u taflwyd i'r afon Rhein fin nos, ond yr anrheg oedd wedi peri pryder mawr oedd bwyell Cofi Ellis (sydd rŵan yn adeiladwr llwyddiannus yn y dre).

Aeth y cwestiynu fel hyn:

Athro Ymarfer Corff: Pam bwyell?

Cofi: Presant, syr.

Athro: I bwy, felly?

Cofi: Nain, syr.

Athro: A be fasa Nain yn ei neud efo bwyell?

Cofi: Torri coed, syr.

Deg allan o ddeg am ymdrech, yndê?

Rhag ofn eich bod chi'n poeni fod Nain ddim wedi cael anrheg o gwbl, mi gopiodd Cofi Ellis *key-ring* yn y siop fach ben bore trannoeth!

★ ★ ★

Cefais hanes y daith nesa yma gan hen gyfaill ysgol imi a fu'n athro yn ein hen ysgol am ryw hyd yn ystod y nawdegau.

Taith bêl-droed i Ffrainc, ac unwaith eto doedd rhai o'r Cofis heb fod ymellach na'r ardd ffrynt! Gan fod nifer o aelodau teulu Cofi Bach wedi cyfrannu at gost y daith, penderfynodd gael un anrheg rhyngddyn nhw i gyd. Syniad da, medd fy ffrind yr athro, a chwarae teg am fod mor ystyriol. Roedd y daith wedi costio £150 ac roedd Cofi Bach am wario £25.

Pan ddaeth yn ôl i'r hostel lle roedden nhw'n aros, gwelodd fy nghyfaill rywbeth oedd yn debyg, mewn maint a phwysau, i olwyn tractor. Gwelwyd mai bloc anferthol o gaws Edam ydoedd! Ar ôl egluro na allai fynd â'r horwth peth adref, medda Cofi Bach:

"Dydi o'm ots, syr, does 'na neb yn licio caws yn tŷ ni, beth bynnag!"

★ ★ ★

Diwrnod cyntaf yn y brifysgol ac mae Cofi Stiwdant yn gwrando ar bennaeth y Neuadd yn adrodd y rheolau.

Pennaeth: Does neb o'r bechgyn i fynd i llofftydd y genod a does neb o'r merched yn cael mynd i llofftydd y bechgyn. Bydd cosb o £20 i unrhyw un a fydd yn tramgwyddo'r rheol hon un waith. Bydd y gosb yn £60 am yr ail dro ac yn £180 y trydydd tro. Oes yna unrhyw gwestiynau?

Cofi Stiwdant: Faint ydi tocyn tymor?

★  ★  ★

Pan oeddwn yn yr ysgol uwchradd yn ystod y saithdegau roedd yna drawsdoriad o Gofis o bob math ac rwy'n cofio dau ddigwyddiad, un yn y Drydedd a'r llall yn y Bumed Flwyddyn. Cefais gadarnhad o'r hanesion hyn gan fy athro dosbarth y pryd hynny:

Un Cofi Form 3 yn dod â nodyn a honnwyd iddo gael ei ysgrifennu gan ei fam:

Ma gen Cofi Form 3 mild form of cancer a fedrith o'm gneud P.E. na Welsh na History, na English na Geography.

Signed,

Mam Co Bach Form 3.

Meddai'r athro dosbarth:

"Well iti fynd adra, Co Bach."

Ac medda Co Bach:

"Fedra i ddim, syr. Ma Mam adre a baswn yn cael stîd am chwarae triwant!"

★ ★ ★

Roedd 'na Gofi mawr iawn efo ni yn y Bumed Flwyddyn a oedd wastad eisiau ei ffordd ei hun. Un pnawn cafodd ei ddal ym mhen draw caeau'r ysgol yn potsian yn reit hegar gyda merch o'r Chweched.

Gan ei fod o'n gawr o Gofi ac yn gallu defnyddio ei ddyrnau, aeth tri athro i'w nôl ac wrth gwrs bu rhyw wrthwynebiad bach, wel, mawr a deud y gwir. Roedd un o'r athrawon yn deall ei focsio ac mi roddodd gweir i Cofi Mawr. Doedd dim llawer o Gymraeg rhyngddyn nhw wedi hynny.

Beth bynnag, flynyddoedd yn ddiweddarach mi welodd mam y Cofi Mawr yr athro mewn siop yn y dre.

"Gwrandwch," meddai, "ma'r mab, Cofi Mawr, yn carchar ac mae'n teimlo'n reit unig. A fasech mor garedig â sgwennu ato, i godi ei galon?"

Pam lai, meddyliodd yr athro. Ac felly bu. Bu'r ddau yn llythyru am flwyddyn.

Dros flwyddyn yn ddiweddarach roedd yr athro'n cael peint mewn tafarn yn y dre a gwelodd y Cofi

Mawr, a oedd wedi dod allan o'r carchar. Prynodd Cofi Mawr beint i'r athro, gafael yn dynn ynddo a chyhoeddi:

"Pan ti'n marw, y fi ydi'r cynta i gario dy arch di, iawn con'?"

Ffrindiau bore oes.

A'r foeswers? Mae carchar yn gwneud lles i rai, ac mae Cofis yn gallu maddau!

★ ★ ★

Gan fy mod wedi crybwyll bod Cofis yn gallu cyrraedd y brig mewn gwahanol feysydd ma'n rhaid imi sôn am un sydd yn arwr yng ngorllewin Cymru hyd heddiw.

Ma 'na ddau Gofi sy'n filfeddygon. Mae un wedi symud i Ganada a'r llall yn ei ôl yng Nghaernarfon wedi sbel yn Sir Fôn (mi ddeffrodd, gweld y goleuni a dod 'nôl dros y Fenai!). Mi dreuliodd ei ddyddiau cynnar yn ystod yr wythdegau yn Llandysul ac mi gafodd ei alw allan un noson gan ffermwr. Yno, roedd ceffyl llonydd a edrychai ar fin marw. Mi ddywedodd Cofi Fet nad oedd fawr o obaith i'r ceffyl wella ac fe gytunodd y ffermwr. Rhaid oedd saethu'r cr'adur a rhoddwyd y fraint honno i Cofi Fet. Anelodd, saethodd a chododd y ceffyl a rhedeg i ben draw'r cae gan weryru fel ebol blwydd. Am flynyddoedd wedyn roedd y ceffyl yn iach fel cn'uen a Chofi Fet wedi cyflawni gwyrth ac yn cael ei drin fel arwr.

"Wnes i'm prynu diod i fi'n hun am flwyddyn gyfan," medda Cofi Fet.

★  ★  ★

Ymwelwyr yn teithio drwy Sir Fôn yn dadlau sut oedd ynganu a sillafu Llanfairpwllgwyngyllgogerych- wyrndrobwllllantysiliogogogoch.

Mi gymeron nhw ginio yn y pentre a gofyn i ferch y caffi:

"Allech chi ddeud, yn ara deg, lle ydan ni?"

"Medraf," meddai'r ferch. "Burrrrrrrrrrgerrrrrrrrr Kiiiiiing!"

★  ★  ★

Ac yn awr, jôc ddi-chwaeth! Mae croeso i chi ei sgorio o 1 i 10 o ran pa mor ffiaidd yw'r cynnwys:

Co Bach Wlad yn dod adref o'r ysgol yn gynnar a'i fam yn gofyn a oedd rhywbeth yn bod.

"Wel," me' Co Bach Wlad, "dwi wedi cael fy hel o'r ysgol am gael rhyw efo tîtshyr."

"Cer i dy lofft ar unwaith a disgwyl di nes doith dy dad adra."

Mi ddoth y tad adref, clywed y newyddion, a'i chychwyn hi am y llofft. Ond ar y grisiau, meddyliodd y tad, 'Chwara teg iddo, o leia mae'n trio', ac aeth i lofft Co Bach Wlad yn teimlo'n eitha balch o'i fab.

"Gwranda, washi," meddai'r tad. "Alli di ddim gneud be wnest ti yn yr ysgol heddiw, sti. Ond tydw i ddim yn flin iawn achos tyfu wyt ti, ac o'n i'n meddwl, tybed fasat ti'n hoffi cael y beic ti fod i gael ar dy ben-blwydd rŵan?"

Atebodd Co Bach Wlad:

"Ddim y funud yma, Dad, ma 'nhin i'n dal yn *sore!*"

# IAITH

Cymraeg ydi iaith Caernarfon heb os nac oni bai. Un o bwysigion y dre, I. B. Griffith, ddwedodd os bydd digwydd i'r iaith farw, yn Ysgubor Goch y bydd y Gymraeg yn cael ei siarad ddiwetha. Deud mawr, ond i bawb sy'n byw yma mae'n hawdd credu'r datganiad.

Mae'r bobl sy'n cael eu talu i fynd o ardal i ardal yn casglu ystadegau wedi mynegi bod 87% o drigolion Caernarfon yn siarad Cymraeg. Ond pa *fath* o Gymraeg, gofynna'r Cofi? Ai Cymraeg Cofi sy'n llawn geiriau gneud, hen eiriau, geiriau gwreiddiol, bratiaith a sawl fformiwla arall? Beth bynnag, un ffaith sy'n siŵr – Cymraeg unigryw y Cofis ydyw. Wrth gwrs, mae yna Gymraeg posh sydd fel arfer, yn ôl y gwir Gofi, yn cael ei siarad gan y bobl ddŵad neu'r rhai sydd wedi bod yn y coleg neu, am ryw reswm gwirion, "pobl o *South Wales*" sydd ddim yn gneud synnwyr, gan fod geirfa'r hwntws yn llawn geiriau Saesneg! Os ydych yn anghytuno â'r safiad hwn cysylltwch â fi, ac fe gawn ni drafodaeth yng Nghaffi Clettwr, Tre'r Ddôl, gan obeithio yr aiff hi'n ffrae go danllyd ac y bydd pawb yn sgrialu o'r caffi heb dalu!

Merch yn cyrraedd y nefoedd ac wrth ddisgwyl cael ei chroesawu gan San Pedr mae hi'n edrych drwy'r gatiau a gweld ei rhieni ac aelodau eraill o'r teulu yn cael gwledd anferth. Pan gyrhaeddodd San Pedr ati, gofynnodd y ferch sut oedd cael mynd i mewn i'r lle hyfryd yma.

"Mae'n rhaid i ti sillafu un gair," meddai.

"A be 'di hwnnw?" gofynnodd y ferch.

"Helô," meddai San Pedr.

Mi sillafodd y gair 'helô' yn gywir, ac i mewn â hi.

Flwyddyn yn ddiweddarach gofynnodd Pedr i'r ferch warchod y gatiau am y dydd. Pwy ddaeth i'r fynedfa ond ei gŵr.

"Sut wyt ti, nghariad i?" gofynnodd y ferch.

"Dwi 'di cael amser da ers i ti farw," meddai. "Mi briodais y nyrs brydferth oedd yn edrych ar d'ôl di pan oe't ti'n sâl. Newydd fod ar y mis mêl ydw i a thra o'n i'n sgio es i mewn i graig a tharo 'mhen, a dyma fi. Sut alla i ddod i mewn?"

"Bydd rhaid i ti sillafu un gair," meddai'r ferch.

"A be 'di hwnnw?" gofynnodd y Co.

"Gwenhwysweggwatwargerdd," atebodd.

★ ★ ★

Er bod y Cofis a'r dre wedi bod o dan orthrwm ers cyn co, mae hanes diweddar wedi dangos y dylanwadau sydd yn rhoi rhai atebion am ein hagwedd tuag at yr iaith, ynghyd â phethau eraill a fydd yn cael eu trafod yn nes ymlaen os byddwch yn dal efo fi, (neu efallai byddai'n well gennych wylio DVD o'r athrylith Dil Pierce a'i jôcs Jethroaidd, neu unrhyw un arall mae'n digwydd ei chlywed). Gallwn gyfeirio at Gaernarfon fel tre Normanaidd pan oedd y Cymry'n cael eu hanwybyddu yn llwyr, ond mi barhaodd yr iaith drwy gydol y cyfnod hwnnw yn ogystal â'r bedwaredd ganrif ar bymtheg. Ond roedd wedi profi newidiadau.

Os am wybod mwy, ewch i'r archifdy wrth y doc neu i'r Llyfrgell Genedlaethol yn Aberystwyth (cyfle arall i aros yng Nghaffi Clettwr ar y ffordd yno a gofyn am fy mhres yn ôl!) Os gwna i barhau â hanes y dre mae'n beryg imi fynd i ddyfroedd dyfnion, felly af i'n ôl at y bobl sy'n siarad iaith y Cofi yn ei gwahanol ffurfiau.

Ar un adeg, roedd yna ddefnydd helaeth o eiriau Saesneg yng ngeirfa'r Cofis megis 'iwshio' yn hytrach na 'defnyddio'. Er bod sawl enghraifft arall, hon oedd, ac sy'n dal i fod, yr un sy'n mynd o dan 'y nghroen i fwya, ar wahân i 'danjerys' gan ein cyfeillion o'r de-orllewin!

Nid anwybodaeth ar ran y Cofis oedd eu defnydd o eiriau Saesneg, ond diogi a delwedd. Snobyddiaeth ar ei waered, ys dywed y Sais. "Ti'm yn cael fi yn iwshio geiria Cymraeg mawr in public" oedd y gri. Diolch i'r drefn mae pethau wedi newid er gwell ac mae Cofis hen ac ifanc yn ymwybodol o DDEFNYDDIO y geiriau cywir.

★   ★   ★

Mae rhai o hogia'r dre yn Affganistan, ac roedd un milwr wedi cael ei holi ar gyfer rhaglen deledu a ddarlledwyd ar S4C. Nid yw'r Co Sowldiwr yma yn cael ei gydnabod fel un sy'n defnyddio Cymraeg graenus fel arfer, ond fe synnodd pawb yn ystod y cyfweliad ac roedd ei ffrindiau'n falch iawn ohono. Gwir yw dweud fod ambell un yn ddrwgdybus. Fel hyn aeth y sgwrs yn y stryd ar ôl y rhaglen:

"Welish i mab chdi ar y bocs noson o'r blaen," meddai'r cymydog.

"Ia, be ti isho ddeud, ta?" ebe'r fam.

"Wel, lle dysgodd o siarad y Cymraeg crand 'na?"

"Ddim gynno fi, con'," atebodd y fam!

Dim math o ganmoliaeth.

Efallai yn nyfnder eitha yr isymwybod mae 'na ronyn o falchder, ond ddaw hwnnw ddim i'r wyneb ar unrhyw adeg. Anodd fyddai i Iesu Grist hyd yn oed gael sylw cadarnhaol yn y dre!

★   ★   ★

Boi yn cerdded ar draws y Sahara ac angen dŵr i'w yfed. Digwyddodd weld rhyw gysgod yn y pellter ac anelodd am y lle. Yno roedd hen ŵr yn eistedd wrth fwrdd, a nifer o deis o bob math arno. Gofynnodd y boi iddo am ddŵr.

"Wel," medd yr hen ŵr, "does gen i ddim dŵr ond mi wertha i dei i ti. Mi aiff hwn yn ddel iawn efo dy ddillad carpiog."

"Tydw i ddim eisiau tei, y ffŵl gwirion. Dŵr dwi isho!"

"Iawn, paid prynu tei, ond er mwyn dangos mod i'n hen foi iawn mi ddyweda i wrthot ti fod bwyty bendigedig tua phedair milltir dros y bryn."

Parhaodd y Co ar ei daith. Tair awr yn ddiweddarach roedd y boi'n cropian yn ôl at yr hen ŵr.

Gofynnodd yr hen ŵr:

"Methu ffeindio'r bwyty wnest di, washi?"

"Ffeindish i'r lle yn iawn. Ond doedd y diawliaid ddim yn gadael fi i mewn heb dei!"

★ ★ ★

Am ryw reswm caiff nifer o Gofis drafferth i ynganu'r lythyren 'll'. Fel arfer mae'n cychwyn yn yr ysgol gynradd ac weithiau'n parhau gydol eu hoes. Mi fedr colli gêm fod yn 'cochi gêm' neu llawn yn 'chawn' ac yn y blaen. Mae hyn yn gachu, sori, gallu bod yn hwyl i rai ond yn artaith i eraill.

Enghraifft o hyn yw un digwyddiad mewn lle dôl pan aeth cyfaill i mi yno gyda Chofi arall. Enw hwnnw oedd Mark Anthony Owen a phan ddechreuodd lenwi'r ffurflen gofynnodd i'm cyfaill:

"Sut ma sbelio Anthony?"

Roedd hyn yn gyfle gwych i'm cyfaill i'w wawdio'n ddidrugaredd tan i Mark Athnyon Owen gofio nad oedd fy nghyfaill yn gallu meistroli'r llythyren 'll' yn dda iawn.

"Iawn, ta," meddai Mark Nathnoy. "Duda Llanllyfni, tyrd…"

Roedd fy nghyfaill yn gallu dweud yr 'll' gynta ond nid yr ail, felly Llanchyfni fyddai'n dod o'i enau. Meddyliodd yn sydyn a dweud Llangcfni, a rhedeg ffwrdd dan chwerthin.

★ ★ ★

A pharhau â'r sillafu enwau, mae yna labrwr yn dre 'cw o'r enw Edgar, ond wyddoch chi beth sydd fel tatŵ ar ei fysedd? EGDAR! Tro nesa rydych yn ymweld â'r dre chwiliwch am ddwylo Cofi yng nghanol llwch a gweld os dowch chi o hyd i Egdar/Edgar!

\* \* \*

Dyma gwis eiriau Cofi i chi.

Ar yr ochr chwith mae term y Cofi ac ar y dde mae'r Gymraeg. Beth am herio rhyw Gofi rydych yn ei adnabod, neu ei ddefnyddio yn eich cwis dafarn lleol. Cyfle i gael oriau o ddiddanwch o flaen y tân gyda'r teulu!

LURKS          CELWYDDAU
PATRO          SIARAD
GONJI          HEN LOL

| | |
|---|---|
| BACHA MENYN | DWYLO LLITHRIG |
| BLEW CAE | GWAIR |
| STAGIO | EDRYCH |
| FODINS | MERCHED |
| MIGLO | DIANC |
| GIAMAN | CATH |
| CWDYN | PRINS CHARLES |

Mae gan y Cofi dueddiad i rifo geiriau benywaidd yn y gwrywaidd, fel dau fodan; dau filltir; dau gadar; tri awr... sy'n swnio'n od i glust y non-Cofi ond yn gwbl naturiol i amryw o'r dre.

Arferiad od arall sydd gan y Cofi yw dweud 'yn dôl' yn hytrach nag 'yn ôl'. Brysiaf i ddweud tydi hyn ddim yn adlewyrchiad o athrawon Cymraeg ysgolion y dref!

★ ★ ★

Erbyn hyn mae'r gair Cofi wedi cael gryn sylw yn y gyfrol yma. O ble mae'n dod, clywaf chi'n gofyn, neu fel y basa Cofi yn deud "Lle ma'n dod o?"

Mae'r ateb yn edrych yn weddol syml gan fod 'co' yn golygu dyn neu berson, ond ystyriwch y theori yma sef y gair 'covey' sy'n cael ei ddefnyddio yn nofelau Charles Dickens ac yn golygu ffrind. Mi wyddom fod miloedd o bobl estron wedi ymweld â Chaernarfon yn ystod y ddwy ganrif ddiwethaf yn eu llongau a'u cychod, a chred y gwybodusion yw fod y cocnis yn defnyddio covey yn aml.

Daw'r gair giaman, sef cath, o'r Aifft achos yn ôl y sôn roedd yr Eifftwyr yn glanio yng Nghaernarfon yn bur aml yn y canrifoedd a fu. Mi wnaethon nhw adael nifer o drugareddau ar eu hôl, a'u cyfraniad mwyaf adnabyddus oedd yr enwau a roddwyd ar ein harian, neu 'mags', ys dywed y Cofi.

Dyma restr arall i chi bori drosti a chreu gêm neu gwis i'ch difyrru yn ystod misoedd oer y gaeaf:

| | |
|---|---|
| ARIAN/PRES | MAGS |
| PUNT | SGRIN |
| HANNER CORON | HANNAR CROCH |
| | HANNAR BWL |
| SWLLT | HOG |
| CHWE CHEINIOG | SEI |
| CEINIOG | NIWC (Y gair cwîn tu ôl ymlaen – clyfar, 'te?) |
| DIMA | MAGAN |

★ ★ ★

Dau Go Dre'n cerdded drwy'r coed ac yn sydyn dyma nhw'n gweld arth anferth tua hanner canllath o'u blaena. Symudodd yr arth tuag atyn nhw. Dyma un Co Dre yn twrio yn ei sach gerdded a thynnu pâr o dreinyrs allan a bustachu i'w gwisgo.

"Be ti'n neud?" gofynnodd y Co arall. "Wneith rheina mo dy helpu di i redeg yn gyflymach oddi wrth yr arth."

"Does dim rhaid imi guro'r arth," meddai'r Co cynta. "Dy guro *di* dwi angen ei neud!"

★ ★ ★

Boi yn dre yn penderfynu prynu rhewgell newydd. Er mwyn cael gwared o'r hen un mi adawodd hi tu allan i ddrws y tŷ gyda nodyn mawr arni yn dweud:

'Am ddim i gartre da; os ydach chi'i heisiau hi, cymerwch hi.'

Dridiau yn ddiweddarach roedd y rhewgell yn dal yna. Newidiodd y boi y nodyn:

'Rhewgell ar werth − £50.'

Erbyn y bore canlynol roedd rhywun wedi ei dwyn hi!

★ ★ ★

Dywed rhai mai arwydd o ddiogi yw rhegi a gwir yw dweud bod geirfa rhai o'r Cofis yn lliwgar iawn, ond cyn trafod y geiriau amwys, ceisiaf eich darbwyllo bod y Cofi ymhell o fod yn ddiog wrth sgwrsio, gan ei fod yn creu geiriau newydd bob tro bydd yn agor ei geg.

Dyma rai sy'n aros yn y cof (neu co' o ystyried y pwnc!):

## Y Cofi yn creu geiriau lluosog:

"Mae 'na lot o serods yn yr awyr heno!"

"Ma isho mwy o cae ffwtbeli i kids y dre 'ma!"

"Sbia, derods ym mhob man."

## Y Cofi yn cyfieithu:

"The wife will be here in a minute. She's upstairs at the moment bending clothes!"

"I found the damage at the forehead of the house!"

## Y Cofi yn camddeall:

Mae Coj ac Ifor yn gwmni casglu sbwriel ac roeddent yn cael paned yn nhŷ rhyw hen wreigan tu allan i dre. Mi gynigiodd hi rywbeth iddynt i'w fwyta:

"Gymerwch chi 'sgedan?"

Atebodd Coj:

"Tydw i'm yn licio fish."

★ ★ ★

Mae yna foi efo'r llysenw Fish yn chwarae pŵl i dîm tafarn y Twthill. Un arall sy'n aelod o'r tîm yw Co efo'r llysenw 'Chips'. Mi gawsant 'play-off' un noson, a'r canlyniad oedd, yn ôl y barman:

"Mi ddaru Chips batro'r Fish!"

★ ★ ★

A sôn am bysgod, roedd tad i'm cymydog yn eu gwerthu o amgylch stadau'r dre, a'i gri fyddai:

"Fresh fish, fresh fish!"

Yng nghanol y saithdegau, Dafydd Wigley oedd yr aelod seneddol, un poblogaidd a fyddai'n ymweld â'r trigolion yn aml. Pan gyrhaeddodd y stad fawr un diwrnod aeth un o'i ddilynwyr at y boi pysgod a'i gynghori:

"Gwranda Co, ma pawb yn cefnogi Wigley rŵan, felly beth am ddangos ein bod yn Gymry da a gweiddi yn Gymraeg."

"Iawn," medd y boi pysgod. "Fish ffresh, fish ffresh!!"

★   ★   ★

Bu un o fechgyn ifanc y dre yn mynydda yn uchelfannau Nepal. Roedd yn rhaid iddo roi'r gorau iddi ar ôl ychydig ddyddiau gan iddo, yn ôl un o fois y Twthill eto, ddioddef o "ATTITUDE sickness"!

★   ★   ★

Un o Gofis Dre wedi ffraeo gyda Co arall ac mi oedd sawl dwrn wedi cael ei daflu.

Wythnos yn ddiweddarach dyma'r ddau'n cyfarfod eto ac ar ôl cryn syllu dyma un yn deud:

"Dwi'n ymddiheuro am be ddigwyddodd wythnos ddwetha."

Ac medda'r llall:

"Dwn i'm be ddudist ti rŵan ond doedd o ddim yn swnio'n neis iawn," a rhoi clec iddo yng nghanol ei wyneb.

Falle byddai'r gair 'sori' wedi bod yn well!

★ ★ ★

Siopwr lleol yn dweud wrth ei ffrind ei fod yn poeni ar ôl cyfarfod rhyw fodan yn y clwb nos.

"Pam, be 'di'r broblem?" gofynnodd ei ffrind.

"Wel, pan es i'r afael â hi mi wnaeth hi weiddi, 'Ma hyn yn wych, ma hyn yn wych'. Be ma hynny'n feddwl?"

"Dy fod ti'n dda iawn," medda'r ffrind.

"Diolch byth am hynny," medd y siopwr. "O'n i'n meddwl ei bod yn gweiddi *rape*!"

[Nid yw'r person uchod yn berchen siop ar y maes].

★ ★ ★

Bydd Cofi Dre yn cael ei alw yn Co, ac weithiau yn cyfeirio at ei ffrind fel Con; e.e. "Iawn, Con?" Bydd rhai (ac mae'n siŵr bod rhai darllenwyr yn ymwybodol o hyn, ac yn edrych ymlaen i weld sut y gwnaiff y dw-lál yma ddelio efo'r gair sy'n gallu bod yn enw, ansoddair, berf, a phopeth arall dan haul) yn rhoi llythyren ychwanegol, sef 't' ar y con.

Ar ei ben ei hun mae'n air hyll, yn regi eithafol, gair Eingl-Sacsonaidd, a ddylai, efallai ddisgrifio'r disgynyddion hynny! Beth bynnag, does dim cuddio'r ffaith ei fod yn rhan o eirfa nifer o Gofis am wahanol resymau. Un defnydd hyll sydd i'r gair ar lafar, ac mae hynny'n digwydd pan fydd dau wyneb yn wyneb â'i gilydd yn bygwth, "Mi ga i chdi, con'!".

Coeliwch neu beidio mae'r defnydd arall o'r gair yn fwy hamddenol o lawer!

"Sut wyt ti (con') MÊT?" neu "Tywydd (con') GWAEL."

I rai, mae'n briodol rhoi'r gair 'c' yn hytrach na'r geiriau sydd mewn llythyrennau bras. Efallai mai arferiad dioglyd a di-chwaeth yw hyn, ond ar rai adegau mae'n disgrifio pethau yn fanwl gywir:

Rhywle sydd wedi rhoi cam i chi ddwywaith... Caffi CLETTWR

Rhaglen deledu sy'n defnyddio jocs pobl eraill... *DA 'di Dil de!*

Hefyd, mi ellwch ei ddefnyddio i ganmol gweithred ffrind e.e. os yw cyfaill yn ennill y loteri ac yn rhoi canran go sylweddol i chi, mae gennych ddewis o ddweud "Diolch yn fawr iawn, con'" neu "Ti rêl con'", neu'r ddau ar ôl ei gilydd!

★　★　★

Pan oeddwn yn ddeunaw oed ac yn fyfyriwr yn y coleg mi ddois â ffrind o Abertawe yn ôl i Gaernarfon efo fi. Cyflwynais o i rai o'm ffrindiau:

"Hogia, Rhys 'di hwn."

"Sut wyt ti, con'?"

Ar ôl y pumed cyfarchiad, gofynnodd Rhys i mi,

"Pam mae pawb yn fy ngalw i'n gon'?" (Sylwer ar y treiglad gan foi o'r de!)

Dyma lle roedd yn rhaid egluro mai cyfarchiad cyfeillgar oedd o a'i fod yn cael ei dderbyn gan y criw. Er i hyn greu penbleth, llwyddodd Rhys i dderbyn y sefyllfa.

Mi allai pethau fod wedi mynd o chwith pan benderfynodd Rhys, a oedd erbyn hyn yn llawn hyder, gyfarch Cofis nad oedd yn eu hadnabod, fel hyn. Gan nad oedd yn defnyddio'r gair mewn modd cyfeillgar roedd y cyfarchiad yn swnio fel bygythiad i'r Cofis lleol.

Ymhen hir a hwyr roedd y Cofis lleol yn dod ata i a gofyn:

"Pam ma dy fêt yn galw fi'n con'?" (Sylwer nad yw Cofi'n treiglo pan mae o dan straen!)

Rhaid oedd wedyn egluro nad oedd yn gyfarwydd â defnydd y gair mewn sgwrs bob dydd a oedd yn peri cryn benbleth i'r Cofis:

"Petha South Wales 'ma, dallt dim!"

Bum mlynedd ar hugain yn ddiweddarach tydi

Rhys yn dal heb feistrioli'r cyfarchiad yn iawn. Pan siarada i ag o ar y ffôn neu wyneb yn wyneb, mae'n mynnu cyfarch fel hyn ond mae'n swnio'n fygythiol tu hwnt neu'n 'too hwntw'!"

Dwi ddim eisiau amddiffyn nac annog defnyddio'r gair yma, ond, tan i blisman iaith neu rywun o'r bwrdd iaith gamu allan o'i swyddfa foethus bydd y gair dadleuol yma'n codi ei hen ben ymysg y Cofis dro ar ôl tro.

★   ★   ★

Sut dach chi'n cael dynes 82 i ddeud y gair 'con"? Gweiddi 'House' o'i blaen hi yn y bingo.

★   ★   ★

Fodan yn sbio ar ei gŵr yn gorweddian ar y soffa ac yn deud wrtho:

"Mae 'na flocej yn y toilet, fasat ti mor garedig â thrio'i drwsio, os gweli di'n dda?"

Yntau'n edrych arni'n ddirmygus:

"Be ti'n feddwl ydw i, glanhäwr toilet?"

Y diwrnod canlynol dyma'r peipiau dŵr yn y gegin yn torri.

"Mae'n ddrwg gen i dy boeni a thitha mor brysur ar y soffa, ond alli di edrych i weld be sydd wedi digwydd i'r peipiau?"

"Hy, dwi'n edrych fath â plymar, yndw? Ty'd â

can o gwrw imi ar unwaith."

I wneud petha'n waeth, y diwrnod wedyn doedd y peiriant golchi dillad ddim yn gweithio.

"Cariad," medda'r wraig, "ma'r peiriant golchi 'di mynd i'r gwellt."

"Ydw i'n edrych fel Co trwsio peiriant golchi," atebodd y diogyn.

Gan ei bod yn hollol ddiflas ffoniodd am dri boi i drwsio'r tri pheth. Y noson honno dywedodd wrth ei gŵr be oedd wedi'i neud.

"Faint ma hyn yn mynd i gostio?" gofynnodd yn flin.

"Wel," meddai ei wraig, "naill ai mi allwn i goginio cacen yr un iddyn nhw, neu mi allwn i gysgu efo'r tri."

"Pa fath o gacen ma'n nhw isho?" chwyrnodd.

"Be? Ydw i'n edrych fath â Delia Smith?!" atebodd.

# LLENYDDIAETH

Gweinidog capel yn dirwyn ei bregeth i ben un Sul:

"Sul nesa mi fydda i'n rhoi pregeth i chi ar gelwyddgwn ac i baratoi at hynny, hoffwn i chi ddarllen Efengyl Marc, Pennod 17."

Y Sul canlynol aeth y gweinidog i'r pulpud a gofyn y cwestiwn:

"Rŵan ta, pwy ddarllenodd Efengyl Marc, Pennod 17?"

Cododd y rhan fwyaf o'r gynulleidfa eu dwylo a dyma'r gweinidog yn edrych yn flin.

"*Chi* ydi'r rhai y dylwn i bregethu wrthyn nhw am gelwyddau. *Does* 'na'm Pennod 17 yn Efengyl Marc!"

★ ★ ★

I bawb sy'n ymwybodol o fyd y Cofis mae'r pwyslais ar beth sy'n dod allan o'r geg, sef y siarad (y patro), a'r modd maen nhw'n byw eu bywyd. Yn ffodus, mae hyn wedi cael ei gofnodi mewn nofelau a hanesion sydd yn werth eu trysori.

Mae defnydd o iaith a geiriau Cofi yn frith yn ein llenyddiaeth a'r hyn sy'n taro rhywun yn syth yw'r hiwmor diddiwedd. Rwy'n cofio fy mam yn chwerthin ar ddoniau'r Co Bach, sef Richard Hughes, a oedd yn darlledu ar y radio yn y rhaglen *Noson Lawen* gan neb llai na'r B.B.C.

Mae gen i frith gof ohono'n traethu yn ysgoldy Capel Ebeneser yn y dre 'cw ac yn synnu sut roedd rhywun yn gallu cadw pawb i chwerthin am awr neu ddwy.

Cofi o Henwalia yn y dre oedd o ac mi gafodd gymorth efo'r sgwennu gan Gruffudd Parry a gyhoeddodd gyfrol *Y Co bach a Hen Fodan a Wil* sy'n llawn cerddi ac ymsonau digri tu hwnt; yn llawn geiriau Cofi a hiwmor ffraeth sydd yn creu delwedd lawn o'r Cofi i unrhyw un o'r tu allan sydd ddim yn gyfarwydd â ni. Credaf mai'r hen Go oedd un o drefnyddion Noson Co Bach yn y capel 'cw, ac er mai ychydig iawn o bethau a wnâi iddo chwerthin, roedd y Cofis yn cael cryn argraff arno.

Cofi oedd fy nhad, yn byw yn New St., er iddo gael cyfnod yn Rhostryfan a'r Felinheli, felly, yr adeg honno cyfeiriwyd ato fel 'Cofi Wlad'. Buan iawn roedd yn ôl yn dre ac yn cael ei ddifyrru gan y gwehilion unigryw yma.

Ei swydd oedd ceisio dysgu disgyblion 3A yn yr ysgol 'Higher Grade', ac fel mae nifer o'i gyn-ddisgyblion yn dweud wrtha i:

"Tydw i ddim yn academic, ond fedra i weldio, gwneud gwaith coed a dwi'n gwybod pob dim am arddio. Fedra i ddeud *bonjour,* gwbod pwy oedd William Wordsworth ac adrodd cwpled y boi 'na, T.H. Williams Parry(!):

"Mi welis lwynog ar y bryn,
Pan es i yno roedd y cwd 'di mynd."

★  ★  ★

Atgof mwya digri fy nhad oedd mynd i'r Guildhall yng nghanol y dre i wylio ffilm.

Roedd yna berson yn canu'r organ drwy gydol y ffilm ddu a gwyn. Felly, byddai is-deitlau yn ymddangos ar y sgrin ac yn ôl fy nhad byddai pawb yn adrodd yn uchel y geiriau ar waelod y sgrin. Gan fod pawb yn adrodd yn llafurus o araf byddai'r geiriau'n diflannu cyn iddyn nhw orffen eu darllen, felly byddai pawb yn troi at ei gilydd a gweiddi "Be ddudodd o? Be ddudodd o?" Hen hwyl diniwed, a deud y lleia.

★  ★  ★

Llyfryn difyr a hwyliog arall i bori drwyddo yw *Arch Noa a rhai o'r creaduriaid* gan John Roberts Williams. Mae'n dilyn hynt a helynt cymeriadau dychmygol y dre er, yn ôl y sôn, mae rhai cyfeiriadau yn agos iawn at y gwir. Bu'r straeon hyn ar Radio Cymru ym 1977, felly unwaith eto roedd Cymru gyfan yn cael eu haddysgu am fyd y Cofi!

Yn *Arch Noa,* y prif gymeriad yn yr holl straeon yw Ned Morus a oedd yn creu magmas, sef direidi rownd y rîl. Yr awydd i wneud ceiniog neu ddwy sydd yn ei yrru mlaen a tydi materion dibwys fel cyfraith a threfn ddim yn ei nadu o gwbl.

Mae'n feistr ar drin y môr a siarad am y peth yn nhafarn y Mona wedyn. Mae tebygrwydd yma i rai o'r cymeriadau gwir y sonnir amdanynt ymhellach ymlaen!

Ei brif elyn yw Parri Fawr – plismon sydd weithiau o gwmpas ei bethau ond ar brydiau yn dwp fel post.

Tydi Ned ddim yn ddiarth i lys barn a charchar ond, fel pob Cofi da, does dim drwg yn perthyn iddo.

Fel heddiw, yr un pynciau sydd yn cael eu trafod yn y gyfrol, megis capel, canu, tafarn, potsio, pêl-droed, cyngor sir a'r heddlu.

Credwch neu beidio, yn groes i'r graen efallai, mae un neu ddau o Gofis wedi ymuno â'r heddlu ac fel y dywedodd un wrthyf ar ôl arestio boi o Fangor:

"Wyddost ti, pan oedd y sglyfath yn yr ystafell gyfweld mi ddaeth y Cofi allan ohona i heb feddwl, a chlywais fy hun yn dweud wrth y con': 'Anything you say will be put down and scrubbed off as soon as you've signed it!'."

Hollol ddiduedd, yntê?

★　★　★

Ym 1961 mi ysgrifennodd William Owen straeon yn nhafodiaith Caernarfon yn dwyn y teitl *Chwedlau Pen Deitsh*. Mi ychwanegodd eirfa ar ddiwedd y llyfr, a braf gweld bod y rhan fwyaf o'r geiriau yn parhau bron hanner can mlynedd yn ddiweddarach.

Y bennod fwynheais i fwyaf oedd stori Gelat, ia Gelert, sydd wedi cael ei rhoi mewn sefyllfa fodern, yn hytrach nag yn yr oes o'r blaen. Mewn un stori mae yna linell anfarwol:

Athrawes: Pwy seiniodd y Magna Carta?

Disgybl: Dim fi, miss, wir yr!

Mae'r iaith hefyd yn frith o gamddefnyddio ambell air megis 'cyrnu' am crynu ac un na chlywais erioed o'r blaen, 'fejipinerians' am 'vegetarians'. Haws dweud llysieuwr!

★　★　★

Da yw'r cyflwyniad i *Chwedlau Pen Deitsh, sef:*

I'r Cofis
P'le bynnag y maent.

★　★　★

Pan oeddwn yn blentyn ro'n i'n cael trafferth gydag un gair, sef pysgodyn. Mynnwn ddweud sogodyn ar hyd yr amser. Roedd fy rhieni yn fy annog i ddweud 'Py-sgodyn' a finna'n dod 'nôl gyda 'Py-sogodyn'. Bu'n rhaid rhoi'r gorau i'r wers. Hyd heddiw hoffwn gredu mai ceisio bod yn greadigol gyda geiriau oeddwn i!

★ ★ ★

Mae un o gerddi Co bach yn cychwyn fel hyn:

"Am bod Cofis o 'lad lond dre 'cw, ia
Yn miglo dan draed a neu ffỳs…"

★ ★ ★

Ydi, mae Cofis Wlad yn bod, y rhai sydd yn byw yn y pentrefi cyfagos, hyd at tua chwe milltir o ganol y dre. Efallai y dylid cael pleidlais i gadarnhau pwy sydd yn deilwng o fod yn Gofis Wlad. Beth bynnag, maent yn cyfrannu'n helaeth tuag at fywyd y dre er bod rhai pethau twp iawn yn cael eu deud ar brydiau.

Flynyddoedd yn ôl roedd aelodau o Glwb Rygbi Caernarfon wedi mynd ar daith i Arklow yn yr Iwerddon. Yn ein mysg roedd tri Co Wlad ifanc, tua deunaw oed, ac efallai heb fod mor bell oddi cartra erioed. Daliwyd y cynta yng Nghaergybi pan drefnodd y rhai hŷn i'r Swyddog wrth y giât ofyn am ei basport. Mi aeth y Co Wlad i'r ffasiwn stad ffoniodd ei fam o focs teliffon, cyn iddi hi ei ddarbwyllo mai tynnu coes oedd yn digwydd.

Tra oedden nhw ar y llong llwyddodd y rhai hŷn i gael yr ail Cofi Wlad i symud ei wats awr ymlaen ac felly y bu dros y penwythnos!

Ond y digwyddiad mwyaf hwyliog, sy'n cael ei ailadrodd am wahanol ardaloedd erbyn hyn, ond roedden ni'n dyst i'r digwyddiad gwreiddiol!

Lleoliad: Disgo yng ngorllewin Iwerddon.

Cymeriadau:    Un Co Wlad diniwed.
Gwyddeles glên.
Ugain o Gofis yn eu 20au.

Co Wlad: Thanks for the dance.

Cofis Dre: (yn gwatwar) WWW!

Gwyddeles: Don't take any notice of them. Let's have a chat.

Co Wlad: Good idea. Let's sit here.

(Rhai Cofis Dre yn symud i glustfeinio ar y sgwrs)

Gwyddeles: Where do you come from?

Co Wlad: A place called Carmel.

Gwyddeles: And where's that?

Co Wlad: About 3 miles from Groeslon!

(Chwerthin a gweiddi mawr gan Gofis Dre)

Cofis Dre: Blwmin crinc…

★　★　★

Dwi'n ddiolchgar iawn i un Cofi Wlad, sydd bellach yn byw yn y dre, am ysgrifennu parodi o'r enwog Salm 23. Mari Gwilym sy'n gyfrifol am yr addasiad a gafodd ei ddarlledu ar Radio Cymru ym Medi 2002.

I'r rhai ohonoch sydd ddim yn gyfarwydd â'ch Beibl, y cynta yw'r gwreiddiol!

Yr Arglwydd yw fy Mugail; ni bydd eisiau arnaf.

Efe a wna i mi orwedd mewn porfeydd gwelltog: Efe a'm tywys gerllaw y dyfroedd tawel.

Efe a ddychwel fy enaid: Efe a'm harwain ar hyd llwybrau cyfiawnder er mwyn ei enw.

Ie, pe rhodiwn ar hyd glyn cysgod angau, nid ofnaf niwed: canys yr wyt ti gyda mi; dy wialen a'th ffon a'm cysurant.

Ti a arlwyi ford ger fy mron yng ngŵydd fy ngwrthwynebwyr: iraist fy mhen ag olew; fy ffiol sydd lawn.

Daioni a thrugaredd yn ddiau a'm canlynant holl ddyddiau fy mywyd: a phreswyliaf yn nhŷ yr Arglwydd yn dragywydd.

---

Ma Co Duw, Iesu Grist 'ma, wharever ia, ma Fo'n udrach ar ôl fi gimint, ia, nes dwi'm isio dim byd arall, mond Fo...

W! Ma Fo'n gneud fi dimlo'n braf o'r 'yd a drw'r agad, ia, fath â 'sa fi'n gofradd miwn caea a llond nhw o blew cae hir. Ma Fo'n mynd â fi at dŵrs tawal, distaw braf, ia, a gneud fi dimlo fatha niwc a magan newydd, a gneud fi dimlo mor dda, ia, nes bo fi'm isio gneud 'im byd drwg byth eto: mond petha da o'r 'yd, jysd fath â Fo.

'Swn i jysd â miglo o byd 'ma ia, a jysd â marw 'lly, de, 'swn i'm ofn 'im byd o gwbwl, cos bicos fasa Chdi, Co, efo fi ol ddy wê, yn gneud fi dimlo'n gret efo dy w'alan a dy ffon.

'Sa 'na rhw' crincs cas yn bewri ac isio cwffio 'fo fi, ia, 'sach chdi'n gosod bwr' o blaen nhw, a gwadd nhw gyd i de!

W! Ti'n gneud petha neis i fi – fath â rwbio aromatherapy oils ar napar fi, a gneud fi dimlo'n E-Wan!

Mi fydda i saff o fod yn fodan dda ac yn ffeind wrth powb, ia, os 'na i sdicio 'fo Co Duw, Iesu Grist 'ma, wharever am byth.

★　★　★

Nofelau eraill sydd yn werth eu darllen yw rhai Goronwy Jones. Pan gyhoeddwyd *Dyddiadur y Dyn Dŵad* roeddwn yn fy arddegau ac mi roedd nofel o'r fath yn arloesol i mi a'm ffrindiau. Bu cryn chwerthin yn lolfa y Chweched yn Ysgol Syr Hugh Owen. Teimlwn fod popeth yn berthnasol gan fod y straeon yn dangos y gwrthgyferbyniad rhwng pobl 'barchus' dre a'r werin datws. Hefyd, roedd y ddau leoliad, sef Caernarfon a Chaerdydd, yn taro deuddeg i amryw ohonom.

Yna cyhoeddwyd *Un Peth 'Di Priodi, Peth Arall 'Di Byw* ac mi roedd hwn yn cyd-redeg gyda bywydau amryw ohonom oedd yn rhannu ein hamser rhwng C'fon a'r brifddinas.

Ar ôl hir ymaros cyrhaeddodd *Walia Wigli* a sylweddolais fod Goronwy Jones a minnau wedi mynd un cam ymlaen a dau gam yn ôl fel petae!

Clyfrwch y nofelau uchod oedd bod pob pennod yn stori ynddi ei hun ond yn rhan o un stori fawr o'r hen Goronwy yn ceisio addasu i fywyd y ddinas. Yn y cefndir cawn olwg ar ei ffrindiau sydd ddim mor ddychmygol â hynny. Yn syml, fedrwch fynd â'r Cofi i'r ddinas, ond gellwch chi ddim cymeryd Caernarfon o'r Cofi! Mae teitlau'r penodau yn glyfar hefyd, gan eu bod yn ehangu ar ystyr y stori drwy chwarae ar eiriau, boed yn Gymraeg neu'n Saesneg. Er bod hiwmor yn byrlymu drwy'r nofel mae lot o wirionedd yn cael ei ddatgelu gan yr enwog Goronwy Jones.

Mi wnaethpwyd ffilm o'r nofel gynta ond erbyn hyn mae honno o dan goes bwrdd yn swyddfa rhyw gomisiynydd S4C, ynghyd â nifer o ffilmiau eraill.

## Dan Car

(i'w darllen mewn acen Cofi Caernarfon)

Heb *crankshaft* ac ar *coco-mattin'*
O'dd Co 'cw yn fflat ar ei gefn
Dan car, yn tincran ers oria,
O'dd ffrynt wîlions'i car fo yn cefn!

"Hei, con'!" me' fi 'tho fo fel'a.
"Dwi 'di laru ar chdi a dy stomp!"
"Bygyr off, g'loman wirion!" me' fynta.
"Cy 'laen, cŵd!" me' fi. "Dwi 'sio romp!"

Assu gwyn, peth ffrystrêtin
'Di gŵr sy *always* dan car,
A byth yn sdagio ar fodins,
Mond ffidlan dan bonat yn 'r ar'.

"Dwi 'sio secs!" me' fi 'tho fo fel'a.
"A 'sa dwi'n ca'l tamad, ti'n *dead*!
A 'sa 'na i dy suthu di heno,
A' i allan am *three in a bed*!"

Wel, arglwy', *dyma* fo'n gwrthio
'i gwysa fo allan slo bach
Allan o dan y tip car 'na.
Arglwy'! Am uffar o strach!

Ond cyn i *body* Co *reappear*-io
A sluddro, 'th â nindar o Nynd,
Ma Co fi yn gw'iddi dros lle, ia:
"Ff★★★n 'el! Ma big end fi 'di mynd!"

"O NO!" me' fi, a ca'l sterics,
A sgrechian a gw'iddi dros lle,
Cos os o'dd Co fi am ffidlan 'fo end fo,
No wê o'n i am neud te!

"Reit, ta! Dwi 'di ca'l digon!
Dwi'n mynd o 'ma i Cofi Roc
I chwilio am hync sydd yn randi
A hwnnw 'fo uffar o ...(BEIPAN EGSOST)!!"

"Na, plis! Paid â gada'l fi!"
Me' fo wrth orwadd yn gam.
"Dim big end car sydd yn bygyrd,
Big end *fi* si miawn blydi jam!"

Wel! Naru fi or'o plygu i *steer*-io
A stagio ar Co fi dan tip.
A wir, o'dd big end fo yn sownd, ia.
O'dd croen pedwar fo'n sownd yn 'i zip!

"Helpa fi, g'loman!" me' fynta,
"Cyn i cŵd fi ddifetha am byth!"
"Dwi'n trio 'ngora," me' finna,
"Ond ma fo'n ddiawledig o stiff!"

Ar ôl i fi stryglo dan car, ia,
O'r diwedd, ddoth big end fo yn rhydd!
A chi be? O'dd hi'n braf 'na,
Fi a Co fi, dan car, ia… drw' dydd.

Mari Gwilym
(o *Stwff y Stomp 2*, Gwasg Carreg Gwalch)

# CYMERIADAU

I fod yn 'gymeriad' neu yn un o gymeriadau rhyw fro neu dref mae'n rhaid fod nodwedd arbennig yn perthyn i'r person. Credaf fod gan Gaernarfon a'r ardal ei gryn siâr o 'gymêrs'. Nid eu gweithred sy'n bwysig ond beth sy'n cael ei ddweud neu ei drafod a'r ffordd mae'n cael ei ddweud. Mentraf gyhoeddi bod ffraethineb ar ei orau gan y Cofis ar brydiau.

"Be ti'n gael os ti'n croesi traffordd efo berfa?"

"Dy ladd, 'de, con'!"

Jôc syml ac effeithiol i roi taw ar y jôc 'Pam ma'r iâr yn croesi'r ffordd?' ddidrugaredd sy'n cael ei defnyddio gan bobl sy'n meddwl eu bod yn ddigri.

Criw yn y dre 'cw sy'n meddwl eu bod yn ddigri, clyfar a ffraeth yw aelodau'r cyngor tre. Wrth gwrs, nid yw'r cyhoedd yn cael gwybod fawr ddim sydd yn digwydd yn y cyfarfodydd, ond mae cymhariaeth â the parti mwncwns yn dod i'r meddwl weithiau.

Yn yr hen iaith Cofi cyfeiriwyd atyn nhw fel 'cowlsilons' neu erbyn hyn fel "penna mawr sy'n benna bach, yn gwisgo siwtiau, ac yn gweithio i gyngor sir, ac sy fod i warchod ni, ond wnaiff nhw byth siarad efo chdi ond dydd Gwener cyn 'Dolig pan ma'n nhw 'di meddwi'n gachu o gwmpas pybs dre ac yn gneud ffyliaid o'u hunain." (Y cegog M. Roberts, Gŵyl San Steffan 2005 yn y clwb rygbi)

Erbyn hyn mae wedi ychwanegu:

"Ddudish i mai wancars 'dyn nhw. Pwy fasa'n gwerthu lwmp o dir i dwat o fildar am bunt. Pam na fysan nhw'n rhoi'r tir ar werth yn Poundstretchers fel bo pawb yn cael cyfle?!"

Diolch am ei sylwadau ar aelodau a gweithwyr cyngor sir. Rŵan cawn fynd 'nôl at ddoethurion y cyngor tre.

★   ★   ★

Yr unig gyfrifoldeb sydd gan y cyngor tre yw gofalu am y gofeb sydd ar y Maes, ac ma'n rhaid eu llongyfarch am hynny, oherwydd pan gafodd y Maes ei ail-neud yn faes parcio agored, roedd yna orchudd parhaol dros y gofeb.

Beth bynnag, pan ma hi'n dod i drafod pynciau eraill mae cryn gamddealltwriaeth yn gallu digwydd.

Cynghorydd Lloyd: Beth sydd angen i addurno'r parc yw'r dynion bach 'na. Be dach chi'n eu galw?

Cynghorydd Williams: Garden Nonimos, hynna dach chi'n feddwl, Cynghorydd Lloyd?

Cyng. Lloyd: Ia, 'na chi, garden nonimos, ar ei ben.

Dal i ddisgwyl mae trigolion y dre am 'nonimos'.

Efallai nad ydynt ar gael yn y ganolfan arddio. Beth am *gnomes,* hogia? Cawn weld…!

★ ★ ★

Eto, wrth drafod y parc mi awgrymodd un cynghorydd:

Cyng. Edwards: Basa gondolas yn betha neis ar y llyn. Dwi'n siŵr y byddai'r ymwelwyr wrth eu boddau efo nhw yn ystod yr haf.

Cyng. Parry: Iawn, ocê cael nhw drwy'r ha; ond pwy sy'n mynd i fwydo'r gondolas 'ma yn ystod y gaea?

Cot o farnish ar y gofeb bia hi, hogia!

★ ★ ★

Mi gychwynnodd un cyfarfod fel a ganlyn:

Cynghorydd Owen: Cyn mynd ymlaen efo gweithgareddau'r noson hoffwn drafod rhywbeth pwysig dros ben, ond i wneud hynny rhaid i mi wisgo het wahanol, fel petae.

Cynghorydd Jones: Cyn belled â dy fod di ddim yn siarad drwyddi!

★ ★ ★

Boi yn mynd trwy Gaernarfon ac yn gweld angladd yn mynd heibio.
     Gofynnodd i foi lleol:
     "Pwy sydd wedi marw?"
     A dyma Co Dre yn ateb:
     "Dwi'm yn siŵr, ond dwi'n meddwl mai'r un sy'n yr arch ydi o."

★ ★ ★

Co Wlad, boi o Sir Fôn a Co Dre yn cerdded ar y traeth a dyma Wyn Roberts, y dewin, yn dod atynt a dweud:
     "Alla i roi un dymuniad yr un i chi."
     Meddai y Co Wlad:
     "Ma 'nheulu i'n ffarmio a hoffwn i'r tir fod yn ffrwythlon am byth."

Chwifiodd Wyn Roberts ei ddwylo ac ymhen eiliadau roedd y tir yn ffrwythlon.

"Wow!" medd boi Sir Fôn. "Liciwn i wal fawr o amgylch Sir Fôn fel bod neb yn gallu dod ar ein ynys werthfawr."

Chwifiodd Wyn ei ddwylo.

"Dyna ni," meddai. "Ma 'na wal o gwmpas yr ynys i gyd."

Co Dre yn gofyn :

"Sut beth 'di'r wal 'ma?"

Eglurodd Wyn Roberts:

"Wel, mae tua 150 troedfedd o uchder, 50 troedfedd o drwch, a gallith neb fynd i fewn nac allan."

"Iawn," medd Co Dre, "llenwa fo efo dŵr!"

★  ★  ★

Nesa, dyma enghreifftiau o betha wedi cael eu deud ac felly eu cofnodi gan wahanol Gofis yn ystod y flwyddyn ddiwethaf:

Grŵp enwog Cymraeg yn canu mewn cyngerdd elusen yng Nghaernarfon y llynedd. Y prif ganwr yn curo'i ddwylo a dweud:

"Bob tro dwi'n clapio 'nwylo ma 'na blentyn yn marw yn Africa."

Gwaeddodd un Cofi:

"Wel stopia blwmin glapio ta!"

Pwy oedd y grŵp enwog dan sylw? Tecstiwch eich ateb i 07495956720. Bydd cost yr alwad yn mynd at rhyw elusen leol o dan yr enw Caffi Clettwr. Bydd y tri ateb cywir cyntaf yn cael tocynnau i weld John ac Alun yn canu'n Saesneg mewn Butlin's o'u dewis.

★ ★ ★

Alun, 23 oed, a oedd yn byw gartref gyda'i rieni yn mwynhau ei wyliau 'Dolig a heb fod adref ers dyddiau ar ôl bod yn aros yn nhai ffrindiau a ballu. Bore 'Dolig aeth am beint amser cinio a'i ffrindiau yn gofyn:

Ffrind: Est ti adra neithiwr?

Alun: Do.

Ffrind: Be gest ti'n bresant, ta?

Alun: Ffycin ffrae!

★ ★ ★

Eifion Llan (Co Wlad) yn dod i'r dafarn bore 'Dolig am lymad yn gwisgo dillad crand ac yn meddwl ei fod o'n rêl boi.

Co Dre: O ba gatalog ddest ti?

Garantî na wnaeth Eifion wisgo'r dillad yna byth wedyn.

★ ★ ★

Gêm bêl-droed Cynghrair y Sul, a'r enwog Teigrod
Twthill o dan lach y reffarî am droseddu. Ar ôl i'r
chweched cerdyn melyn gael ei ddangos dyma'r gôl-
geidwad yn gweiddi:

"'Esu, reff, ma hi fatha 'Dolig yma, efo'r holl
gardia 'ma!"

Do, mi aeth enw hwnnw i'r llyfr hefyd.

★ ★ ★

Plastrwr a pheintiwr lleol yn yr ysbyty ar ôl cael
damwain drwy ddisgyn o ben ysdol (ysgol). Ei wraig
a'i fab yn y siop leol a'r siopwr yn gofyn:

"Sut ma'r claf?"

A'r mab yn ateb:

"Hei, Clive 'di enw dad fi, ddim claf!"

★ ★ ★

Disgrifiad Co Dre o 'hangover' mwya uffernol:
"Ma 'mhen yn 'y 'nhin, con'!"

★ ★ ★

Sgwrs rhwng dwy fam ifanc tu allan i storfa fawr yn
y dre:

Fodan 1: Yli del 'di babi chdi.

Fodan 2: Ydi, ac mae'n cysgu'n dda yn nos.

Fodan 1: O, da. Ma babis yn lyfli tan ma'n nhw'n
dwyn, a mynd i jêl!

★　★　★

Pa *protection* ma genod Bangor yn ei gymryd?
Bus shelter!

★　★　★

Pam nad ydi pobl Bangor yn chwarae cuddio?
Does neb isho chwilio amdanyn nhw!

★　★　★

Un o swyddogion yr Eisteddfod Genedlaethol yn
Steddfod Caernarfon 1979 yn penderfynu cynnig i
hogia ifanc y dre fynd o gwmpas y cae steddfod efo
bocsys pres i gasglu ar gyfer yr Urdd.

"Sut aeth y casglu?" gofynnodd y swyddog
wedyn.

"Heb weld y bocsys na'r pres!" oedd yr ateb.

Mewn mannau eraill, dwyn fyddai'r weithred, ond
i ni'r Cofis, direidi ydyw a bai y swyddog am fod yn
'blydi crinc'.

★　★　★

Tydi o ddim yn syndod i un o gwmnïau teithio
bysiau'r ardal sgamio cwmni siwrans ar ôl damwain,
trwy wneud cais am 25 o bobl oedd yn bresennol; y
gwirionedd oedd mai pump oedd ar y bws!

Da, 'de!

★ ★ ★

Gyrrwr bws yn mynd â phensiynwyr am dro pan gynigiodd un hen ddynes lond llaw o gnau iddo. Yntau'n derbyn a bwyta'r cwbl. Ymhen chwarter awr mi ddaeth yn ôl a chynnig mwy iddo.

"Pam nad y'ch chi'n bwyta'r cnau?" gofynnodd.

"Wel," meddai'r hen ddynes, "allwn ni ddim eu cnoi nhw achos does gennon ni ddim dannedd, ond mi ydan ni'n licio'r siocled sy o'u cwmpas nhw."

★ ★ ★

Yn gyffredinol, mae Cofis yn bryderus a gwyliadwrus iawn o bobl ddŵad ac mi gymerith flynyddoedd weithiau i ddangos ymddiriedaeth. Ar y llaw arall mae pobl ddŵad yn ymwybodol o'r rhagfarn tuag at y Cofis ac felly'n troedio'n ofalus ar y cychwyn.

Tydi Cofis ddim yn hoff o unrhyw newid a phan ddaw rhywun ymlaen a chynnig syniadau newydd, buan iawn y byddan nhw'n myllio a dangos dig. Yr agwedd yw mai'r Cofi sydd fod i feddwl a gweithredu syniadau ar ei doman ei hun, neb arall.

Wrth gwrs, does gan y Cofi ddim bwriad i gynnig unrhyw syniadau, ond does neb arall yn cael gwneud chwaith, sy'n gwneud pethau'n rhwystredig iawn i bobl brwdfrydig a chreadigol.

Dychmygwch yr olygfa ar y Maes. Mae Elvis Presley wedi codi o farw yn fyw ac yn rhoi cyngerdd.

Aiff un Co bach hanner canllath i lawr y stryd at dafarn y Black Boy.

"Ma Elvis 'di atgyfodi, dewch i'w weld o ar y Maes."

Yr ymateb fyddai:

"Gawn ni un peint arall ac fe ddown ni wedyn."

Wir i chi.

★ ★ ★

Mae'n siŵr eich bod wedi clywed am dafarn y Bachgen Du neu'r Blac fel y'i gelwid ran amlaf. Tafarn sydd bron yn bum cant oed. Hyd yn ddiweddar, yr un teulu oedd wedi berchen y lle ers 150 o flynyddoedd.

Tua'r adeg honno aeth un o fechgyn y teulu i fyw i America a dod yn gowboi. Mi lwyddodd i ddod 'nôl i ymweld â'i deulu un tro, ac mi roedd yn yfed whisgi yng nghongl y bar gyda'r hogia lleol.

Yn ddiarwybod iddo roedd llafna ifainc wedi datod rhaff ei geffyl ac wedi anfon y cr'adur dros yr aber.

Pan aeth y cowboi allan i fynd ar ei geffyl gwelodd fod y rhaff yn rhydd a sylwodd ar y llafna'n chwerthin gerllaw. Aeth atynt a'u bygwth:

"Os 'na fydd y ceffyl yn ôl ymhen deng munud mi fydd yr un peth yn digwydd yma a ddigwyddodd yn New Mexico yn 1852."

Dan grynu, gofynnodd un o'r llafna:

"Be ddigwyddodd yn New Mexico yn 1852?"
Ac medda'r cowboi:
"Gorfod cerdded adra!"
[Jôc wreiddiol o Dre sydd wedi cael ei dwyn gan gyflwynydd rhyw raglen wael ar S4C *circa* 2006]

★ ★ ★

Mi gewch rai Cofis yn cyfeirio at bobl ddŵad fel:
"Bastards o South Wales (hyd yn oed os ydyn nhw o Sir Fôn!) yn gadal cyrtans ar agor a byta te (swper) efo cannwyll ar bwrdd a phlanhigyn yn ffenast ffrynt."
Felly, os dach chi'n meddwl dod i fyw i Gaernarfon, gadwch y bonsai a'r 'swiss cheese plant' ar ôl…

★ ★ ★

Os credwch chi fod Cofis yn warchodol o'u milltir sgwâr ac yn ei chael hi'n anodd gadael y dre, ystyriwch ble mae rhai'n credu bod de Cymru yn cychwyn.
Ar yr A487 rhyw bum milltir o Borthmadog fe welwch fferm o'r enw Llwyn Mafon Isa – dyna yw'r ffin rhwng gogledd a de Cymru yn ôl rhai! A dyna gêm fach ddifyr i chi sy'n teithio'n rheolaidd ar yr A487/A470. Y cynta i ddod o hyd i'r fferm!

★ ★ ★

Dyw rhai Cofis ddim yn ffafriol iawn tuag at Cofis Wlad hyd yn oed. Yn ddiweddar clywais un yn mynegi ei farn:

"Hiwmor y pentrefi, hy! Yr unig beth gawson ni gennyn nhw oedd llechi," gan ychwanegu'n ddilornus:

"Ma Cofis Wlad yn cael bedydd yn fwy aml na bath!"

★  ★  ★

Penbleth arall yn y dre 'cw yw barn y bobl am y frenhiniaeth.

Yn syml, mae rhai yn caru'r frenhines, a chanran arall yn ei chasáu â chas perffaith. Rhywbeth tebyg yw angerdd y trigolion tuag at dîmau pêl-droed, naill ai Man Utd neu Lerpwl, Caernarfon neu Bangor, Everton neu Deiniolen!

Erbyn hyn mae'r to ifanc yn fwy difater tuag at y frenhiniaeth, ond mi alla i'ch argyhoeddi o brofiad personol bod dadl y cwîn 'di achosi ffraeo mawr ymysg teuluoedd.

Gorffennaf 27, 1996 a chafwyd ymweliad yng Nghaernarfon gan Charles, Tywysog Cymru.

Ei fwriad oedd hybu a rhoi sylw i'r diwydiant llechi (braidd yn hwyr, medd rhai).

Ar ôl potsian yn Llanberis efo cŷn a morthwl fe ddaeth Carlo (fel mae ei fêts yn ei alw) i Stryd y Plas i agor rhyw swyddfa neu'i gilydd.

Yn sefyll yn nrws tafarn Y Goron Fach roedd Co Cwstard, perchennog becws yn y dre. Gwaeddodd ar Carlo:

"Tyrd yma am beint."

Atebodd Carlo y byddai yno 'mhen dim.

Aeth Co Cwstard i mewn at Al Wern, perchennog y dafarn, i baratoi am yr ymweliad pwysig. Aeth yr hogia i gyd i'w lle tu ôl y bar, i'r gegin, clirio'r blychau llwch...

Ymhen hir a hwyr fe ddaeth Carlo i mewn i'r dafarn gyda'i weision. Roedd Al yn nerfus (rêl Co Wlad) ac eisiau plesio, ac roedd Co Cwstard yn gweld cyfle i dynnu coes a chreu hanes, fel petae.

Co Cwstard: (yn ei Saesneg gora am ei fod wedi mynychu ysgol fonedd) Be ti am gael?

Carlo y Prins: Whisgi.

Cynigiodd Al y rhai cyffredin oddi ar y silff. Ond roedd y prins eisiau malt a dyma Al yn rhedeg ar garlam i'r selar.

Yn ystod hyn i gyd roedd gweddill y staff yn sbecian ar Carlo, i weld sut un oedd o, ond hefyd roedd chwilfrydedd wedi codi oherwydd roedd hanes ei gysylltiadau gyda Camilla yn dod i'r fei ar y pryd. Fel mae'n digwydd, yn un o bapurau tabloid y diwrnod hwnnw roedd tipyn o'r hanes ar y dudalen flaen a dyna ble gwelwyd Co Cwstard yn ceisio gwthio'r papur newydd o dan drwyn y prins. Cyn i betha fynd yn flêr fe ddaeth Al yn ei ôl gyda malt go lew.

Al: Hei, Cwstard, be ti'n feddwl ti'n neud, y con'?

Co Cwstard: Ty'd â malt i'r ddau ohonom.

Al: Blydi hel, sgen ti ddim byd i ddeud wrth y con'.

Dau malt yn ddiweddarach dyma Carlo'n dechrau aflonyddu ac yn sôn am fynd.

Heb flewyn ar dafod dywedodd Co Cwstard wrth y prins:

"Wyt ti am dalu am rhein?"

Atebodd Carlo efo'r un hen esgus ag y mae ei dad a'i fam yn ei ddefnyddio bob tro:

"Tydw i ddim yn cario pres."

Erbyn hyn roedd Al yn cael cathod bach ac yn ymbil ar y Cwstard i roi'r gora iddi.

Chwifio'r papur newydd o dan drwyn gwas y prins oedd hwnnw a gofyn am bres i dalu am y malt roedd o, Carlo, 'di'i gael.

Do, fe dalodd y gwas, felly roedd arian ym mhoced Al, ac roedd Co Cwstard 'di cael diod gan fab y cwîn!

★　★　★

John ac Alun, Brodyr Gregory a Girls Aloud ar gwch sy'n suddo.

Pwy sy'n cael ei achub?

Y byd cerddoriaeth.

* * *

Boi yn galw ei wraig a deud:

"Hei, cariad, dwi 'di cael gwahoddiad i fynd efo'r bòs a'i ffrindia ar drip pysgota. 'Dan ni'n mynd am wythnos gyfan ac mi fydd yn gyfle da i gael dyrchafiad yn y gwaith. Ma'n rhaid mynd yn syth o'r gwaith, felly mi alwa i heibio'r tŷ i nôl fy mhetha. O ia, alli di bacio'r pyjamas newydd, y rhai silc glas, plis?"

A hitha'n wraig dda mi wnaeth be oedd ei gŵr yn gofyn, a'r wythnos wedyn fe ddaeth yn ôl wedi llwyr ymlâdd. Gofynnodd y wraig:

"Wnest ti ddal lot o bysgod, 'nghariad i?"

"Do, llwythi," medda'r gŵr, "ond pam wnest ti'm pacio'r pyjamas newydd?"

"Mi wnes i," medd y wraig, "yn dy focs sgota…"

* * *

Rhaid, yn awr, cyflwyno'r bobl sy'n gyfrifol am y digwyddiadau hyn i gyd. Rhoi wyneb ac enw i'r cymeriadau, fel petae. Does dim llawer yn cael eu galw wrth eu henwau cywir – mae gan bawb lysenw o ryw fath.

Yng nghefn gwlad cyfeirir at deuluoedd wrth enw fferm neu stad, ond yn y dre 'cw caiff rhai eu galw ar ôl enw'r fam. I rywun o'r tu allan mi all hynny swnio'n ferchetaidd, ond i'r Cofi mae'n gwbl naturiol – Philip Helen a'i ffrind Mark Ethel (cyn-reolwr a chyn-golwr tîm pêl-droed Teigrod Twthill).

Hefyd, cymeriad arall sydd bellach ddim efo ni oedd Eric Megan, ac mae ei frodyr yn cael eu galw yn yr un modd.

★　★　★

Yn ôl at y llysenwau, sydd yn cael eu cymeryd yn ganiataol, synnais nad oedd nifer o'r rhai a oedd yn berchen ar yr enwau yn gwybod tarddiad llysenw eu hunain. Mi allaf ddallt nad oes rhai'n awyddus i wybod hanes llysenw eu teuluoedd, am resymau cwbl amlwg. Yn anffodus, mae'r enwau'n glynu ac yn tyfu o genhedlaeth i genhedlaeth.

Does dim eglurhad hyd yn hyn ar Huw Coc Sebon Sent na theulu Coc Jew ond croeso i chi ddychmygu sut daeth yr enwau i'r fei!

★　★　★

Wrth ymchwilio a holi am yr enwau, buan iawn y sylweddolais fod tarddiad rhai o'r enwau yn syml tu hwnt.

Pan ofynnais i un o deulu'r Snails ro'n i dan yr argraff fod yna gysylltiad â'r môr neu garddio. Yr ateb a gefais:

"Pan oedd Taid yn cerdded i'r ysgol ers stalwm, y

fo fyddai'r ola i gyrraedd gan ei fod yn llusgo'i draed yn araf."

Diolch i Taid, mae yna sawl teulu, sy'n cynnwys degau o unigolion, yn cael eu galw'n Snails erbyn hyn.

★   ★   ★

Teulu mawr arall yw y Coconuts – gwerthu coconuts yn y farchnad ar y Maes oedd gwaith y cyn-deidiau. Am yr un rheswm mae yna deulu Cabbage yn bodoli.

Yn ystod y dydd fe welwch John Byta Malwod yn mynd o gwmpas ei betha. Ond tydi o ddim yn perthyn i'r Snails, hyd y gwn i.

Teulu Cachu Iâr wedi cael ei fedyddio am fod y tad yn pluo ieir mewn siop yn Stryd Llyn ac roedd ei ddillad yn fudr wedi diwrnod o waith.

Bob New York, Wil Montana, Gwyn Cognac, y Penguins – mae digon o amrywiaeth.

★   ★   ★

Cymeriad sydd wedi heneiddio cryn dipyn erbyn hyn ond a oedd yn casglu at elusen drwy'r adeg oedd Dick Simple.

Bob bore Sadwrn mi fyddai'n chwifio ei flwch pres o dan eich trwyn ac yn sgrechian ar dop ei lais:

"Ty'd 'laen, rho dy mags yn fama!"

Fedrwch chi ddim osgoi cyfrannu neu fyddai'r holl dre wedi clywed ei sgrech fyddarol.

★ ★ ★

Bu Dafydd Wigley yn Aelod Seneddol am flynyddoedd a phan fyddai'n ymweld â'r dre roedd ganddo asiant answyddogol wrth ei ochr sef Louie Aberdyf o deulu Aberdyfs. Roedd Caernarfon ar ei hennill ac Aberdyfi ar ei cholled.

Byddai Louie yn siarsio pawb i gefnogi a phleidleisio dros Mr Wigley a phan oedd dathlu ar ôl ennill y sedd wleidyddol, Louie oedd ar flaen y gad yn y parti i ganlyn. Arferai Louie ddathlu am ddyddiau wedi etholiad cyffredinol.

★ ★ ★

Teulu anferth yw Jac Jins — rhai yn hoff o'r enw, eraill yn cywilyddio — ond y ffaith syml yw fod un o'r teidiau wedi gorfod mynd i weithio fel gwas fferm ochrau Llanerchymedd ac un ffordd i'w helpu i fynd i gysgu fin nos yn y das wair oedd cael cwmni llymaid o jin.

★ ★ ★

A dyna i chi Geoff Camel yn egluro tarddiad ei lysenw oherwydd fod ei frawd Ronnie wedi bod yn yr ysbyty pan oedd yn hogyn a'r unig beth a wnâi drwy gydol y dydd oedd tynnu lluniau camelod.

Pan mae Geoff yn pwdu dyw hi ddim yn wir ei fod yn cael yr 'hump'!

★ ★ ★

Tuag at Ddinas Dinlle mae Aber Menai, llecyn hyfryd ar ganol y Fenai – lle delfrydol i gynnal barbeciw yn y twyni tywod. Lle braf i ymlacio, ond pan mae'n hwyrhau mae'n well dod oddi yno gan fod y tymheredd yn disgyn yn gyflym a gall y llanw fod yn dwyllodrus dros ben. Arferai Harry Fish fynd â chriw ohonon ni yno yn ei gwch ganol pnawn a dod i'n hôl ni tua naw y nos.

Un tro, gan fod nifer fawr ohonon ni, penderfynodd pawb dalu Harry ar y ffordd allan. Camgymeriad dybryd.

"Wela i chi am naw," meddai.

Ychydig a wyddom ar y pryd, ond am naw y bore wedyn daeth Harry a'i gwch. Ers iddo'n gadael ni yn Aber Menai aeth Harry Fish ar ei ben, gyda'i gyflog, i'r Anglesey a'i wario ar lysh. Yn ôl rhai o'r yfwyr roedd Harry'n cropian am y drws tua hanner nos yn mwmian am nôl rhyw bobl o Aber Menai. Cafodd ei rwystro rhag mynd ar ei gwch, gan ein gadael ni'n fferru yng nghanol y Fenai.

Ar y llaw arall, efallai taw hynny oedd orau, neu

pwy a ŵyr lle y bydden ni wedi glanio, a llongwr
meddw wrth y llyw.

★ ★ ★

Nid nepell o Aber Menai mae Fort Belan, adeilad
hanesyddol gyda gynnau mawr o'r hen ddyddiau sydd
yn dal i gael eu defnyddio ar achlysuron arbennig, fel
nadu ffermwyr ifainc Pen Llŷn rhag dod i'r dre ar nos
Sadwrn. Rhaid gofalu am y gynnau yma'n ddyddiol
ac felly bedyddiwyd un teulu yn Cannons.

Roedd Gareth, yr ŵyr, yn yr un dosbarth â mi
yn yr ysgol ac mi alla i'ch sicrhau na faswn yn gadael
iddo gyffwrdd mewn unrhyw fath o wn!

★ ★ ★

Un stori arall a gofnodwyd yw Taid yn prynu car
ac yn cael cynnig un am £80 gan rhyw ffrind. Ateb
Taid oedd:

"Fasa'n well gen i hen gert na thalu hynny!"

A dyna ddyfodiad Teulu Hen Gert.

★ ★ ★

Yn ystod y pumdegau a'r chwedegau roedd dau Gofi
direidus, a arferai slochian yn yr Anglesey, ac sydd
wedi bod yn creu hafoc â'u triciau a'u sgams hyd
heddiw.

Yr enwog Mons a Wil Napoleon oedd y rhain a arferai botsian gyda'r cychod ar y Fenai yn ystod y dydd a chyfarfod yn yr 'offis' (yr Anglesey) fin nos i drafod tactics y diwrnod canlynol.

Gwneud ceiniog neu ddwy oedd y brif nod ac weithiau, yn enwedig yn ystod yr haf, roedd mwy o bres i'w gael ar y lan nac yn y dŵr. Y targed fyddai ymwelwyr diniwed.

Roedd cwpl ar eu gwyliau yn mynd heibio'r Anglesey gyda'u ci un diwrnod a dyma Mons yn egluro nad oedden nhw'n cael mynd â'r ci i ganol y dref. Yntau'n cynnig gwarchod y ci am bris. Dyma hwythau'n cytuno ar £2 am y prynhawn. Ymhen yr awr roedd Mons wedi gwerthu'r ci fel 'Cofi Breed' i ryw gwpl o'r Alban am £5 a Mons yn mynd adref am ei de gyda £7 yn ei boced. Ar ôl i griw yr Anglesey roi gwybod iddo fod yr ymwelwyr wedi gadael aeth Mons am beint yn hapus ei fyd. *Job done*!

★   ★   ★

I gadw'r ddesgil yn wastad, dyma un o hanesion Wil Napoleon. Mae'r enw Napoleon yn mynd yn ôl sawl cenhedlaeth a than yn ddiweddar credai to ifanc y teulu fod yr enw'n gysylltiedig â rhyfeloedd Napoleon.

Siom i un o'r disgynyddion, a gredai fod un o'i gyn-deidiau yn arwr ar faes y gad, oedd clywed bod y llysenw wedi sticio oherwydd fod un o'r cyn-deidiau hynny wedi copio (dwyn) botel o Napoleon Brandy o dafarn y Pen Deitsh un noson.

Beth bynnag, byddai Wil yn segur ambell dro gan mai swydd dymhorol oedd y gwaith gyda'r cychod. Arwyddo ar y dôl oedd y cam nesa.

Trwy lwc, penderfynwyd bod rhai o olygfeydd y ffilm *Prince Valiant* yn cael eu lleoli ar lannau'r Fenai. Dyma gyfle i nifer o bobl leol ennill doleri'r Americanwyr a sefyll wrth ochr mawrion byd y sinema megis Robert Wagner, fel ecstras.

Ar ddiwedd y ffilmio aeth Wil yn ôl at swyddfa'r dôl. Gofynnodd y Swyddog:

"Previous occupation?"

Ac medd Wil yn ddi-flewyn ar dafod:

"Ffilm star!" a mynnu mai hwnnw oedd yn cael ei sgwennu ar y ffurflen.

★ ★ ★

Cofiaf am rai o blant Napoleon y tu allan i ddrysau'r castell yn gofyn i ymwelwyr am 3d (pishyn tair ceiniog) er mwyn cadw'r babŵns i ffwrdd.

Y drefn oedd sefyll mewn llinell a chlicio'u bysedd ac wedyn byddai rhywun yn gofyn pam eu bod yn gwneud hyn, a'r ateb bob tro fyddai er mwyn cadw'r babŵns i ffwrdd – 3d, os gwelwch yn dda.

Fel arfer byddai pobl yn rhoi arian iddyn nhw ond ambell waith byddai rhai trafferthus yn mynegi nad oedd babŵns yn y wlad hon.

A'r ateb sydyn:

"Yn hollol. 'Dan *ni'n* clicio'n bysidd, dyna pam!"

★ ★ ★

Fodan yn cyrraedd casino ac yn rhoi bet o £1,000 ar un tafliad y dis.

"Os ydi o'n iawn efo chi, liciwn i dynnu fy nillad. Dwi'n teimlo'n fwy cyfforddus yn noeth."

Tynnodd ei dillad a rowlio'r dis. Yna fe sgrechiodd:

"Dwi 'di ennill, dwi 'di ennill!"

Neidiodd i fyny ac i lawr gan gusanu a gafael ym mhob un.

Cymerodd y 'chips' o'r bwrdd a prysur ddiflannu gyda'i dillad.

Syllodd y rhai oedd yn delio ar ei gilydd yn gegagored. Ymhen ychydig gofynnodd un:

"Wel, be rowliodd hi?"

"Dim syniad," medd y llall, "o'n i'n meddwl mai chdi oedd yn gwylio'r bets."

★   ★   ★

Wedi 50 mlynedd o briodas gyda Lena, roedd Elwyn yn bur wael ac yn disgwyl y diwedd.

Un noson wrth orwedd yn ei wely, gofynnodd i'w wraig:

"Lena, pan fydda i 'di mynd, wyt ti'n credu y priodi di rhywun arall?"

"Ydw, ma priodas 'di bod yn beth da i mi a dwi'n siŵr o briodi eto."

Dychrynodd Elwyn:

"Be? A dod â dyn arall i'r tŷ 'ma?"

"Ia, pam lai?" medd Lena.

"Ti am ddod â dy ŵr newydd i'r gwely 'ma?" gofynnodd Elwyn.

"Wrth gwrs."

"Ond," medd Elwyn yn drist, "bydd dy ŵr

newydd di ddim yn cael defnyddio fy offer golff i, na fydd?"

Gwenodd Lena.

"Na, fydd o ddim yn cael gafael ar dy glybia golff di – llaw chwith ydi o."

★   ★   ★

Boi bach yn eistedd yn y dafarn yn syllu i mewn i'w gwrw. Arhosodd fel hynny am hanner awr.

Daeth rhyw ddrongo i mewn, cipio ei ddiod a'i yfed yn y fan a'r lle. Dechreuodd y boi bach grio. Gan deimlo fymryn yn euog dyma'r drongo yn dweud:

"Ty'd o'na, tydi petha ddim mor ddrwg â hynny."

"Ti isho bet," medd y boi bach. "Heddiw yw diwrnod gwaetha 'mywyd. Yn gynta, gysgish yn hwyr ac ro'n i'n hwyr i'r gwaith ac mi gefais fy niswyddo. Pan es i at y car wedyn, roedd hwnnw wedi'i ddwyn. Wrth gyrraedd adre'n gynnar mewn tacsi gwelais fy ngwraig yn y gwely gyda fy ffrind gora. Mi adewais y tŷ, dod yma, ac fel o'n i am orffen popeth, dyma ti'n ymddangos ac yfed fy blwmin arsenic i!"

★   ★   ★

Llo Llŷn yn cystadlu ar *Who wants to be a Millionaire?* ac wedi cyrraedd y trydydd cwestiwn am fil o bunnau.

Chris Tarrant: Pa dderyn sydd ddim yn nythu? Brân, pioden, dryw ta'r gwcw?

Llo Llŷn: Sgen i'm clem.

Chris T: Dowch, meddyliwch.Ylwch, dach chi 'di colli dau fywyd, felly dim ond ffonio ffrind sydd gennych chi ar ôl.

Llo Llŷn: Ffonia fo, ta.

Ffrind y llo yn cael y cwestiwn ac yn ateb yn syth – y gwcw. Dyma Llo Llŷn yn ailadrodd yr ateb ac yn ennill £1,000.

Atebodd o mo'r cwestiwn canlynol ond aeth adre a gwên ar ei wyneb. Gwelodd ei ffrind a diolch iddo, ac yna holodd:

Llo Llŷn: Sut oeddat ti mor siŵr mai'r gwcw sydd ddim yn nythu?

Ffrind y llo: Achos mewn cloc ma'n byw.

[Jôc wreiddiol o Gaernarfon sydd wedi cael ei dwyn eto a'i deud gan gyflwynydd gwael ar raglen wael ar S4C. Nid yw'r gyfres ddi-nod yma yn bodoli bellach, er fod y lleidr yn dal i ymddangos ar raglenni eraill. Pwy ydi'r paraseit hwn? Atebion i:

clwbcwffiocaetsmaluchdinracs@dre.con

Y wobr am ateb cywir yw cael gweld y clwb uchod yn delio gyda lladron jôcs.]

★ ★ ★

Yr haf diwetha roedd gŵr proffesiynol, peniog, llawn synnwyr cyffredin yn mynd am y Bala pan glywodd injian y car yn gwneud sŵn erchyll. Roedd yn poeni fod ei gar yn mynd i dorri i lawr. Ffoniodd ei ffrind oedd yn gweithio mewn garej yng Nghaernarfon ac egluro pa fath o sŵn ydoedd.

Doedd hwnnw ddim yn gallu gwneud llawer wrth glywed y disgrifiadau.

Hwyrach ymlaen ffoniodd y mecanic ei ffrind i gael hanes y car. Eglurodd hwnnw fod y car yn swnio'n iawn ar ôl i'r car o'i flaen droi i'r dde! Dy!

Ma credenshials y gŵr 'di cael tolc!

★ ★ ★

Offeiriad yn aros noson mewn gwesty ac mae'n gofyn i ferch y dderbynfa ddod â bwyd i'w lofft.

Wedi sbelan mae o'n trio mynd i'r afael â hi, ond mae hi'n ei atgoffa ei fod yn ddyn crefyddol.

"Popeth yn iawn," medda'r offeiriad. "Mae wedi ei ysgrifennu yn y Beibl."

Ar ôl noson fythgofiadwy yn y gwely gofynnodd y ferch ym mha ran o'r Beibl oedd hyn wedi ei ysgrifennu. Tynnodd yr offeiriad y Beibl o'r ddesg a throi i'r dudalen gynta. Yno, roedd rhywun wedi sgriblan:

'Neith yr hogan yn y dderbynfa foncio unrhyw un.'

Boi o Fangor yn siopa mewn adran goginio.

"Be 'di hwnna?" gofynnodd.

"Fflasg Thermos," atebodd y siopwr.

"Be ma'n neud?" holodd y Bangor lad.

Dywedodd y siopwr wrtho ei fod yn gallu cadw petha oer yn oer a phetha cynnes yn gynnes. Roedd Bangor aye wedi'i blesio, prynodd un a'i ddangos i'w fêts yn y ganolfan 'asbo'.

"Ylwch, hogia,'" meddai. "Fflasg Thermos."

"Be ma'n neud?" gofynnon nhw i gyd.

"Cadw petha poeth yn boeth a phetha oer yn oer," atebodd Bangor aye.

"Be sgen ti ynddo fo?" gofynnodd un.

"Dau banad o goffi a hufen iâ," medda'r ffŵl.

★ ★ ★

Gweinidog yn cael gwahoddiad i swper gan ddynes efo'r cartre mwya budr yn y dre. Pan eisteddodd wrth y bwrdd sylwodd ar y llestri mwya budr iddo'u gweld erioed.

"Ydi'r llestri hyn 'di cael eu golchi?" mentrodd ofyn.

"Ma'n nhw mor lân a ellith dŵr a sebon eu cael nhw," atebodd.

Er ei fod yn bryderus mi ddywedodd gras a dechreuodd fwyta. Er mawr syndod iddo roedd y bwyd yn flasus. Ar ôl gorffen, aeth y ddynes â'r platiau allan a gweiddi ar y cŵn:

"Tyrd yma, Dŵr! Tyrd yma, Sebon!"

★   ★   ★

Pâr mewn oed yn mynd am dro yn y car a galw heibio caffi ar ochr y ffordd.

Wedi ailgychwyn dywedodd yr hen wreigan ei bod wedi gadael ei sbectols yn y caffi. Rhaid oedd gyrru ymlaen er mwyn cael lle hwylus i droi'n ôl. Fe gwynodd yr hen foi yr holl ffordd yn ôl i'r caffi, ac erbyn cyrraedd roedd wedi cychwyn rhegi ar ei wraig druan.

Pan aeth hi allan o'r car i nôl y sbectols gwaeddodd ei gŵr ar ei hôl:

"Tra bo ti yno, waeth iti nôl fy waled i hefyd!"

★   ★   ★

Boi yn dod adra o'i waith a darganfod dyn diarth yn caru gyda'i wraig.

"Be ddiawl dach chi'ch dau yn ei *neud*?" gofynnodd.

Ac meddai ei wraig wrth y dyn diarth:

"Ddudish i mai un dwl oedd o."

★   ★   ★

Co Dre yn prynu trychfilyn aml-droed…

(Be 'di hwnnw, con?)

(*Centipede*)

(Pan na fasat ti'n deud, ta?)

(Ocê, ocê.)

Boi yn prynu neidr gantroed…

(Be ddudist ti?)

Y… y… *centipede*.

(Sticia i *centipede*, ta)

Boi yn prynu *centipede* a mynd â fo adra. Ar ôl setlo yn y tŷ dyma fo'n gofyn i'r *centipede*:

"Ti ffansi peint?"

Ar ôl rhyw 3 munud gofynnodd eto:

"Ti isho dod lawr i'r pyb?"

Bum munud yn ddiweddarach gofyn eto:

"Peint, pyb, lysh. Ti'n dod?"

"Iawn, olreit, dal dy ddŵr," medd y *centipede*. "Glywish i ti y tro cynta. Gad i mi orffen gwisgo fy sgidia!"

* * *

Boi ar fagla a phlastar ar ei fraich yn dod i mewn i'r dafarn.

"Be sy 'di digwydd i ti?" gofynnodd y tafarnwr.

"'Di bod mewn ffeit efo Meic."

"Ond rwyt ti a Meic yn ffrindia gora a tydi o ond hanner dy faint di. Rhaid fod ganddo fo rywbeth i dy daro di," medd y tafarnwr.

"Oedd, rhaw," medd y boi, yn griddfan mewn poen.

"Doedd gen ti ddim byd yn dy law, ta?" gofynnodd y tafarnwr.

"Oedd, bronnau ei wraig," medd y boi. "Ma'n nhw'n hyfryd, ond da i bygyr ol mewn ffeit!"

* * *

Boi o Dre, boi o Sir Fôn a boi o Fangor yn aros eu tro i fynd i'r nefoedd.

Ymhen hir a hwyr dyma San Pedr yn dod atyn nhw a dweud y byddai'n gofyn cwestiwn yr un cyn cael mynd i mewn.

Gofynnodd i Cofi Dre:

"Be oedd enw'r llong wnaeth suddo ar ôl taro lwmp anferth o rew ac mi roedd 'na ffilm amdano?"

"*Titanic*," atebodd y Cofi yn syth.

Ac i mewn ag o drwy'r gatiau.

Trodd San Pedr at y Monwysyn (hic neu josgin Sir Fôn).

"Sawl person farwodd ar y llong?"

Fel roedd hi'n digwydd, roedd boi Sir Fôn 'di gweld y ffilm ar DVD y diwrnod cynt.

"1,228," atebodd.

"Cywir, i mewn â ti."

Trodd San Pedr at y boi o Fangor:

"Enwa nhw!"

# Cystadleuaeth Fawr!

Dyma ddeg jôc (o ryw fath) ac mae angen eu rhoi mewn trefn, o'r gorau i'r gwaetha. Y beirniad fydd Tudur Owen (achos mae'n gwneud pob dim arall).

Gwobr: Tocyn i sioe Dilwyn Pierce sy'n para dwy awr (hyd sioe Jethro yn Llandudno).

Anfonwch eich atebion at:

dewi.dyff.parribarman.breianfawr@cofidre.con

Mae yna wobr gysur hefyd, sef gwersi actio ar ffurf Stanislavsky gyda Hywel Emrys. Dwy wobr benigamp, felly. A dweud y gwir mi rydw i bron â chystadlu fy hun!

**1**

Mae 'na griw o wlad Pwyl wedi ymsefydlu yn y dre 'ma ac fe aeth un am brawf llygaid. Fe gyrhaeddodd llinell ola'r siart a gofynnodd yr optegydd a allai ddarllen CZWIXNOSTAC.

"Ei ddarllen o?" medda'r Co. "O'n i'n yr ysgol efo'i frawd o!"

## 2

Cofi 1: Wnes i drio lladd fy hun ddoe wrth gymeryd mil o aspirins.

Cofi 2: Be ddigwyddodd?

Cofi 1: Wel, ar ôl y ddwy gynta mi ddechreuais deimlo'n well!

## 3

Cofi bach 3 oed yn chwarae efo'i geilliau yn y bath, ac yn gofyn,

"Mam, ai fy mrêns i 'di rhein?"

"Ddim eto," meddai.

## 4

Yr athro yn sylwi nad oedd Cofi Bach yn cymeryd sylw yn y wers. Gwaeddodd arno,

"Cofi Bach! Be ydi 9, 15 a 37?"

Dyma Cofi Bach yn ateb,

"Sky 1, Discovery a BBC News 24, syr!"

## 5

Be dach chi'n galw dynes sy'n gwybod lle mae ei gŵr?

Gwraig weddw!

**6**

Meddyg yn deud wrth ei glaf:

"Gen i newydd drwg a newydd da i chi."

"O diar, be 'di'r newyddion drwg?" gofynnodd y claf.

"Dim ond 24 awr sgennych i fyw," medd y doc.

"Ma hynny'n frawychus," medd y claf. "Does 'na'm newydd gwaeth na hynna!"

Ac meddai'r meddyg:

"Wel oes, dwi 'di bod yn trio cysylltu efo chi ers ddoe."

# 7

GAIR O GYNGOR 1: Ma 'na gymaint o raglenni coginio ar y teledu y dyddia yma 'yn does? Pan ddaw'r bil nesa am eich trwydded, ystyriwch brynu llyfr coginio yn ei le.

# 8

GAIR O GYNGOR 2: Peidiwch â bwyta eira melyn! (Phil Gas, gaeaf 2008)

# 9

Cwsmer mewn siop fwyd wedi gwirioni efo'r perchennog.

"Deud wrtha i Morus, sut wyt ti mor gall?"

Ac medda Morus,

"Tydw i ddim am rannu'r gyfrinach efo pawb ond gan dy fod di'n gwsmer ffyddlon mi dduda i wrthot ti. Penna pysgod, bwyta di ddigon o'r rheiny ac mi fyddi di'n athrylith."

"Wyt ti'n eu gwerthu nhw yma?" gofynnodd y cwsmer.

"Pedwar punt y pen, ia." medda Morus. Prynodd y cwsmer dri.

Fe ddaeth y cwsmer yn ôl ymhen wythnos yn cwyno fod y penna'n afiach.

"Wnest ti ddim bwyta digon ohonyn nhw, ma'n rhaid," medda Morus, a gwerthu ugain pen pysgodyn i'r cwsmer. Pythefnos yn ddiweddarach fe ddaeth yn ôl, yn wallgo'.

"Hei, Morus, ti'n gwerthu penna pysgod imi am £4 yr un a dwi newydd sylweddoli medra i brynu pysgodyn cyfa am £2. Ti 'di nhwyllo i."

"'Na fo, yli," medda Morus, "ti'n dechrau callio'n barod."

## 10

Emlyn yn mynd at ei fòs yn y gwaith:

"Gwranda, bòs, 'dan ni'n llnau'r tŷ 'cw fory ac ma'r wraig isho help i symud dodrefn a ballu."

"Yli, Emlyn," medd y bòs, "ma 'na amryw yn sâl ac adre o'r gwaith, fedra i'm fforddio rhoi diwrnod rhydd iti."

"Diolch, bòs," medd Emlyn. "O'n i'n gwybod y gallwn i ddibynnu arnoch chi."

★ ★ ★

O dan wyneb y Cofi mae hiwmor ffraeth a digri iawn. Anodd i'w weld ar y cychwyn ond wedi peth amser o hollti'r graig mae oriau o bleser gyda Cofis Dre.

Hwyl, con'!

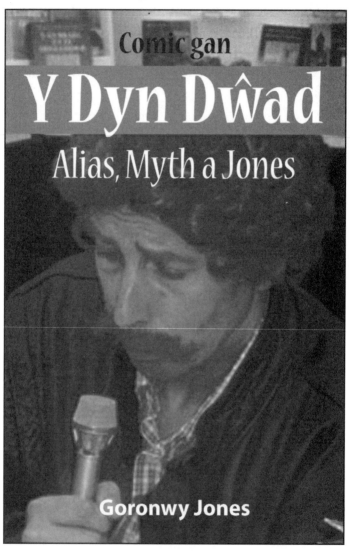

Comic gan

# Y Dyn Dŵad

Alias, Myth a Jones

**Goronwy Jones**

£7.95

CYFRES TI'N JOCAN

# hiwmor
# CLIVE

y Lolfa

**Clive Rowlands**

£4.95

CYFRES TI'N JOCAN

# hiwmor

# DILWYN MORGAN

Y Lolfa

**£3.95**

 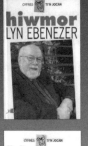  

Am restr gyflawn o lyfrau'r Lolfa, mynnwch
gopi o'n catalog newydd, rhad
neu hwyliwch i mewn i'n gwefan

**www.ylolfa.com**

lle gallwch archebu llyfrau ar lein.

TALYBONT CEREDIGION CYMRU SY24 5HE
*ebost* ylolfa@ylolfa.com
*gwefan* www.ylolfa.com
*ffôn* 01970 832 304
*ffacs* 832 782